小学館学習まんがシリーズ

名探偵コナン実験・観察ファイル

身のまわりの不思議

原作／青山剛昌　監修／川村康文（東京理科大学教授）
まんが／金井正幸

みなさんへ——この本のねらい

名探偵コナンと一緒に科学de楽しもう！

東京理科大学 理学部物理学科 教授　川村康文

みなさ〜ん！　お待たせしました‼　『名探偵コナン実験・観察ファイル　サイエンスコナン』シリーズの新刊だよ〜！　さあ、これから名探偵コナンと一緒に、科学の不思議の世界を楽しみましょう‼

この『サイエンスコナン／解明！　身のまわりの不思議』では、「どうして？」「なぜ？」とみなさんがふだんから〝？〟を連発しているけれど、なかなか人に聞けなかったり、調べてもよく分からなかったりした〝あれこれ〟が、次つぎにテーマとしてとりあげられています。ひょ

っとすると、するどいみなさんのことですから「そんなのもう知っているよ」という人もいるかもしれません。

でも、ちょっと待った！

この本を読み進めていくうちに、これまで知っていたよりも詳しい回答に出会い、「う～ん、そうだったのか！」の連続になるかもしれません。

また、この本のまんがとコラムを読んだとしても、もっとほかにも知りたいことがいっぱいあるかもしれません。そんな時はぜひ、編集部あてに「コナンに質問～！」と書いた質問状を送ってください。名探偵の頭脳で、コナンが見事に解決してくれると思います。ぜひ、お便りを待っています。

さて、それではそろそろ、身のまわりの不思議探検に出発～‼　コナンと一緒に科学de楽しもう！

名探偵コナン 実験・観察ファイル サイエンスコナン もくじ 解明！ 身のまわりの不思議

血液の不思議

「血はなぜ赤いの？」

1-1

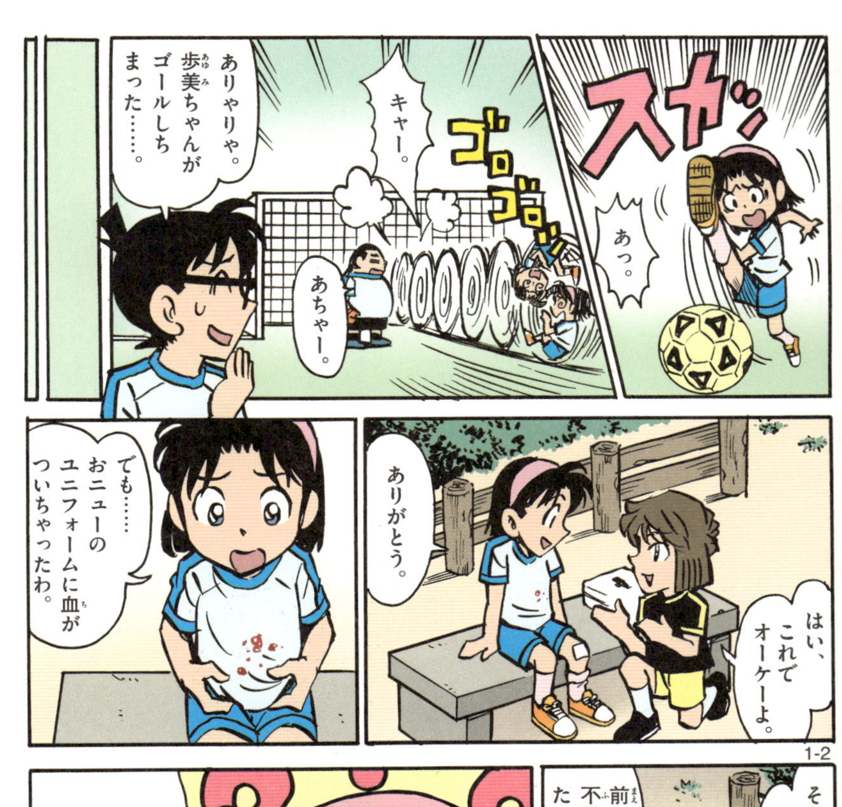
スカッ
あっ。
ゴロゴロッ
キャー。
あちゃー。
ありゃりゃ。歩美ちゃんがゴールしちまった……。
はい、これでオーケーよ。
ありがとう。
でも……おニューのユニフォームに血がついちゃったわ。

1-2

そういえば……
前から不思議に思ってたんだけど……
？

どうして血は赤いのかしら？

「血が赤いわけはこれだ!!」

血液の重要な役割

人間が生きていくためには、呼吸をして、空気中から酸素をとり込まなければならない。このため人間は「肺」という器官で、吸った空気から酸素だけをとり出しているよ。このとり出した酸素をからだのすみずみまで運ぶのが、血液の重要な役割の一つなんだ。

血液は「血しょう」という液体と、「白血球」や「血小板」、「赤血球」という成分からできている。白血球には、体内に入ったばい菌などをやっつける働きがあり、血小板には、ケガをして血が出た時などに血を止める働きがある。そして、酸素をからだ中に運ぶ働きをしているのが赤血球なんだ。

人間の血液が赤いのは、血液中に多く含まれている『赤血球』が赤いからなんだ。
この赤い色の素は、『グロビン』というたんぱく質に『ヘム』という赤い色素がくっついた『ヘモグロビン』という成分だよ。
そして、『ヘム』という色素が赤いのは、その中に含まれる鉄原子によるものなんだ。

[赤血球の様子]

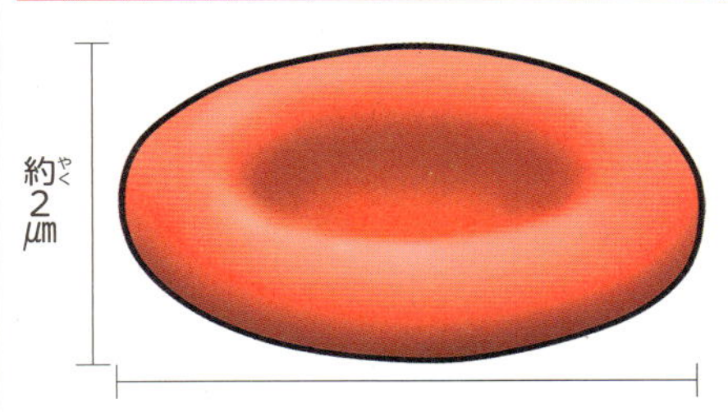

●血液に含まれる成分の割合
約96%：赤血球
約３%：白血球
約１%：血小板

●赤血球の成分
約66%：水分
約34%：ヘモグロビン

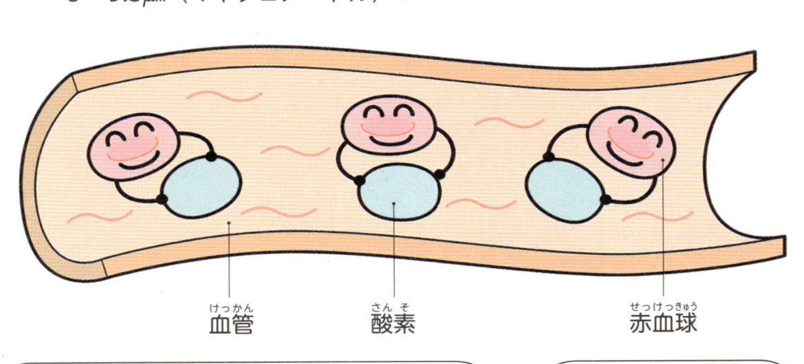

『血は鉄の味がする』とよく言いますが、それはヘムの中の鉄原子によるものだったんですね！

ヘモグロビンには酸素を送るだけではなく、からだのすみずみから二酸化炭素などを回収する役割もあるの。酸素を送る時は鮮やかな赤だけど、二酸化炭素を回収する時は暗い赤になるのよ。

※１㎛は、１㎜の千分の一の長さです。

「石けんで洗うとなぜきれいになるの？」

ジャーッ
ゴシゴシ

はい、血が目立たなくなったわよ。
ありがとう、哀ちゃん。

帰ったら、もう一度洗剤でよく洗ってね。
うん、分かった。

でも不思議よね。
水だけでは落ちない汚れが、洗剤を使うと落ちるのはなぜなのかしら？

2-1

おれたちはおやつタイムにしよーぜ。

ちょっと元太くん！
手は洗ったの？
うへっ。

そんなに汚れてないし、洗わなくても平気だろ？
ダメよ！
汚れていないように見えても、目に見えないばい菌がついていて、口からからだの中に入ると病気になってしまうこともあるのよ。

石けんをちゃんと泡立てるのよ。
へいへい。
ジャー

ねえ、哀ちゃん。
服や手を洗う時、石けんを使った方がきれいになるのは分かるんだけど……

2-2

それならどうして石けんで洗うと汚れがきれいに落ちるの？

「石けんで洗うときれいになるわけはこれだ!!」

「汚れ」の種類

からだの汚れの種類には、汗、皮ふの脂、古くなった皮ふのアカなどがある。特に手はいろいろなものに触れるので、ばい菌がつくことも多いんだ。服の汚れの種類には、汗や空気中のほこり、食べこぼしなどがあるよ。

塩や砂糖、汗などによる「水溶性の汚れ」は水に溶けやすいので、水で洗い落とすことができる。ほこりなどによる「不溶性（固形）汚れ」も、水で洗い落とすことができるよ。

でも、皮ふの脂などによる「油性汚れ」は、水だけで汚れをとることができない。このために、手洗いや洗顔、洗濯には石けんや洗剤を使うんだ。

水と油は混ざらないよね？　だから、油にしか溶けない『油性汚れ』は、水洗いではなかなか落ちないの。でも、石けんは『油となかよしな性質』と『水となかよしな性質』の両方を持っているから、油性汚れにくっつくと同時に、水に溶けて洗い流すことができるのよ。このような性質を持つ物質のことを『界面活性剤』と呼ぶわ。

[界面活性剤の働き]

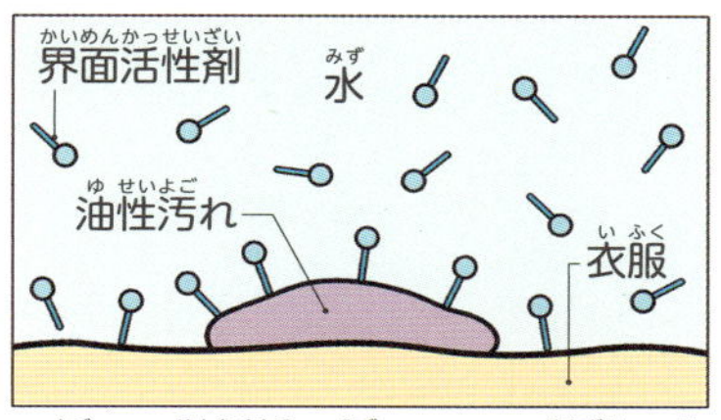

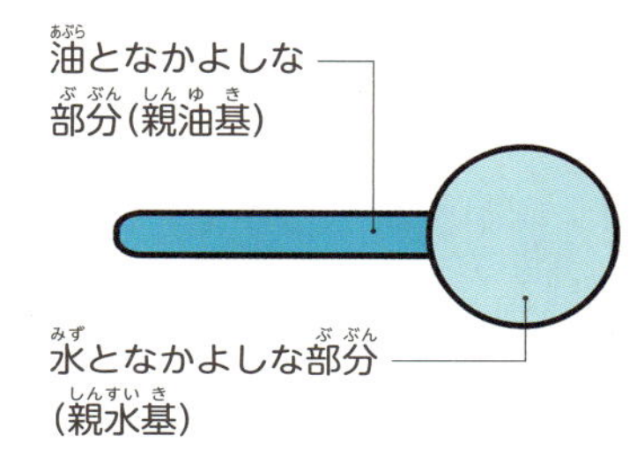

①汚れた洗濯物を水につけ、洗剤を入れると……。

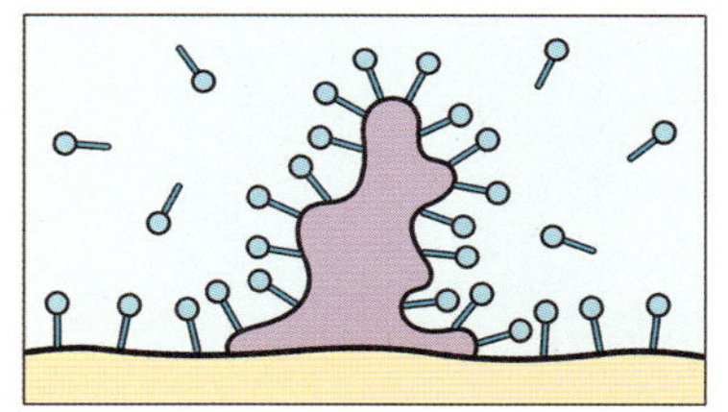

②界面活性剤の親油基が油となじんで、汚れを包み込む。

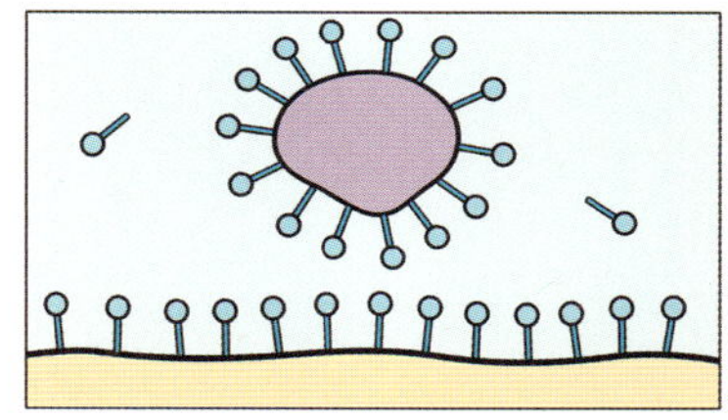

③界面活性剤の親水基が水に引っぱられて、汚れが落ちる。

界面活性剤は、石けんや洗剤のほか、美容液などにも使われているよ。油と水の両方になじむ性質を生かして、ヒアルロン酸などの成分を肌の奥まで染み込ませるための『浸透剤』として使われているんだ。

へー、手についたばい菌も石けんを使えばきれいに落ちるのか～。

「冷水を入れたコップにはなぜ水滴がつくの？」

ほい、冷たいジュースじゃ。
トンッ

サンキュー博士。
今日は暑かったから、のどが渇いたじゃろ？

それにしても、歩美くんは災難じゃったの。
うちに帰って、ケガの手当てをしてもらうそうよ。

ん？何だよ博士、ジュースがこぼれてるぞ。

3-1

よく見てごらん。
ジュースがこぼれたわけではないぞ。

コップについた水滴が、下にたまったんじゃ。
えっ？そうなんだ。

3-2

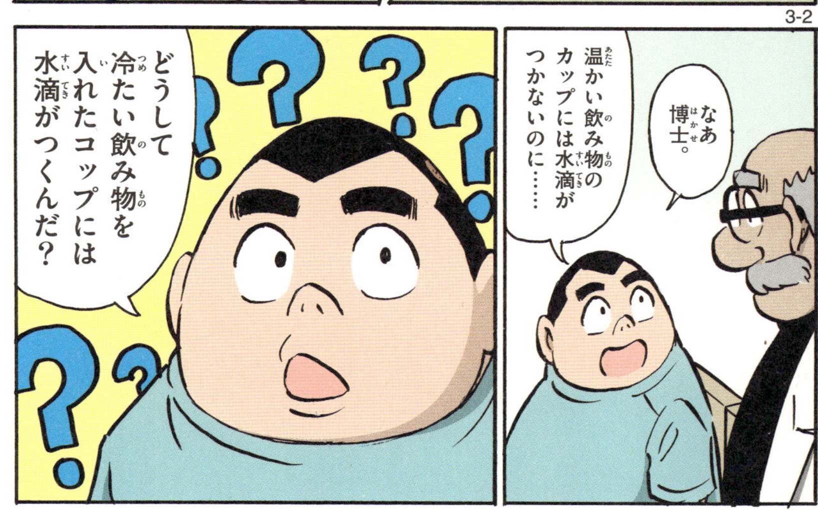

SCIENCE CONAN 解明！ 身のまわりの不思議

「冷水を入れたコップに水滴がつくわけはこれだ!!」

空気の湿り気と気温の関係

日本の夏は、空気が湿り気を帯びているため蒸し暑い。一方、冬は空気が乾燥しているため、くちびるなどが乾きやすい。このように、夏と冬で空気の湿り気がちがうのはなぜだろう？

空気には窒素や酸素などのほか、気体となった水分（水蒸気）が含まれている。空気の成分のうち窒素は約78％、酸素は約21％で定まっているけど、水蒸気は約4％から約0％まで変動するよ。なぜかというと、空気は気温が高いと水蒸気を多く含むことができ、逆に気温が低いと少ししか含むことができないからだ。夏と冬で空気の湿り気がちがうのは、このためなんだよ。

水蒸気を多く含んだ暖かい空気の温度が下がると、空気中の水蒸気はどうなるのじゃろう？　実は、冷たい空気の中にいられなくなった余分な水蒸気は、水滴に変化するんじゃ。この現象を『結露』と呼ぶぞ。

コップに冷水を入れると、コップに接した空気の気温が下がる。このため水蒸気が結露して、コップの表面に水滴がつくんじゃよ。

[結露の仕組み]

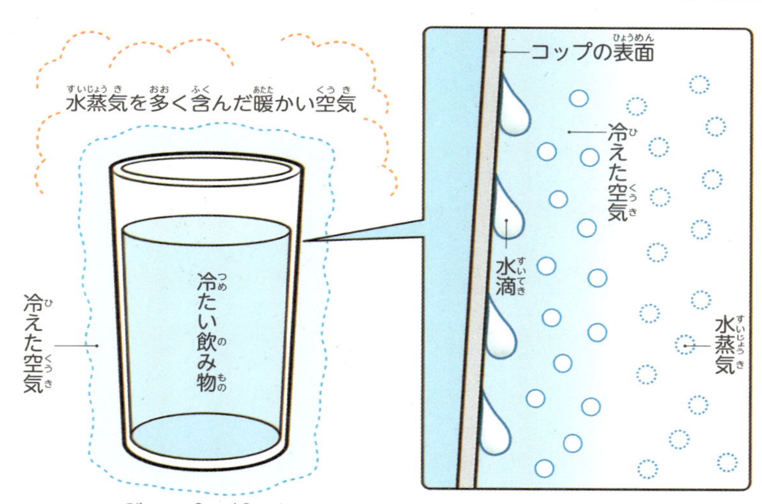

①コップに冷たい飲み物を入れると、コップに接した暖かい空気が冷える。

②冷えた空気の中にいられなくなった水蒸気が、コップの表面に結露する。

温かい飲み物を入れたカップは周りの空気を冷やさないから、カップに水滴がつかないのか！

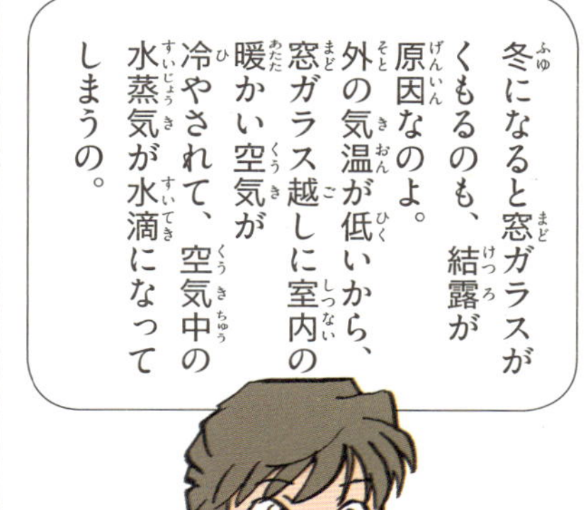

冬になると窓ガラスがくもるのも、結露が原因なのよ。外の気温が低いから、窓ガラス越しに室内の暖かい空気が冷やされて、空気中の水蒸気が水滴になってしまうの。

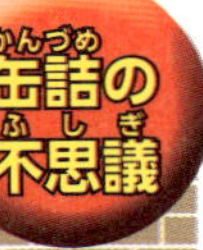

「缶詰のみかんはどうやって皮をむいているの？」

4-1

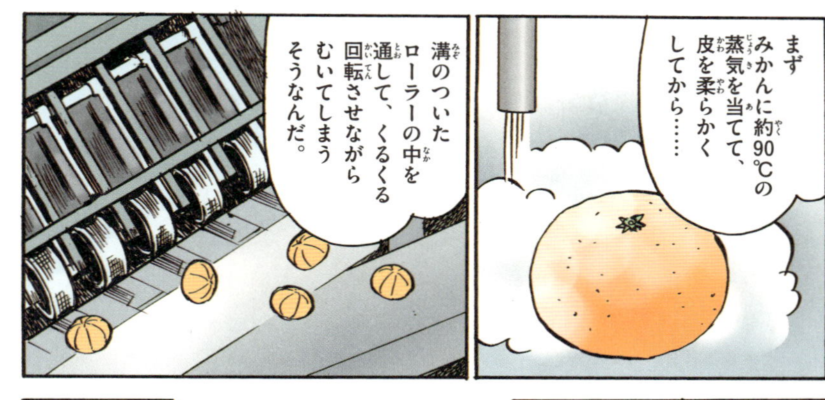
まずみかんに約90℃の蒸気を当てて、皮を柔らかくしてから……
溝のついたローラーの中を通して、くるくる回転させながらむいてしまうそうなんだ。

そこまでは分かりましたけど、内側の薄い皮は？
外の皮をむいたみかんをローラーにかけたりしたら、つぶれてしまうんじゃないでしょうか？

4-2

みかんの缶詰をつくる時、あの薄い皮はどうやってむいているんでしょうね？

「缶詰のみかんはこうやって皮をむいている!!」

酸性とアルカリ性

小学校の理科では「水溶液」について学ぶよ。水溶液をかんたんにいうと「ある物質を水に溶かした透明な液体」のことで、塩水も水溶液の仲間だ。

水溶液は、その性質によって3つに分けられる。酢や炭酸水などは「酸性」、石けん水などは「アルカリ性」、そして塩水や砂糖水などは「中性」の性質を持っているよ。酸性の水溶液の中でも「塩酸」は、なんと金属の鉄を溶かすほどの強い酸性を示す。でも、塩酸にアルカリ性の水溶液を加えると、お互いの性質を打ち消し合う化学反応が起こり、中性の水溶液に変化するんだ。この反応を「中和」と呼ぶよ。

缶詰工場では、実は**みかんの薄い皮はむくのではなく、濃度を約0・7%に薄めた塩酸で溶かしている**んだ。皮を溶かしたあとに、濃度を約0・7%に薄めた水酸化ナトリウムというアルカリ性の水溶液で中和しているよ。そして最後にきれいな水で塩酸や水酸化ナトリウムを洗い流して、安全な缶詰みかんをつくっているんだ。

[きみにもできる！　缶詰風みかんのつくり方]

クッキーづくりなどに使う「重曹」という粉を用意しよう。鍋に湯を沸かして、重曹とみかんを入れる。2分くらい煮ると、みかんの薄い皮が溶けてくるよ（煮すぎると、みかんの身も溶けてしまうので注意してね！）。流しで鍋の中身をざるにあけ、軽く水洗いすれば完成だ！　冷やして食べよう。
※缶詰風みかんづくりは火を使うので、必ずおとなの人と一緒にやろう!!

みかんの缶詰工場で使っている塩酸と水酸化ナトリウムを混ぜると、家庭で使う食塩と同じ『塩化ナトリウム』が出てくるのじゃ。完全に中和させれば、混ぜた液体はただの塩水になってしまうから、食品の加工によく使われておるんじゃよ。
塩酸は内臓の『胃』が分泌する『胃液』にも含まれていて、消化を助けているのよ。

アイロンの不思議「アイロンでなぜ服のしわがとれるの?」

ただいま。
おかえりなさい。
あれ?

♪
おじさんがアイロンがけなんてめずらしいね。
明日、久しぶりにお母さんと会うからはりきってるのよ。

5-1

お父さん、貸して。私がやるわ。
す、すまん。

ほら、お父さん。
ズボンはこうやって折り目をつけるようにアイロンがけするのよ。
トンッ
はい、おしまい。

おーっ、さすがおれの娘だ。
おだてたって何も出ないわよ。
ピシッ
でも……よく考えたら不思議よね。
何が？

5-2

どうしてアイロンをかけると、服のしわがとれるのかしら？

解明！

アイロンの不思議

「アイロンで服のしわがとれるわけはこれだ!!」

服にしわが寄る原因

服を洗濯すると、しわが寄ってしまう。その原因は何だろう？

すべての物質は、「分子」という非常に細かい粒が集まって形づくられている。服の繊維も、いろいろな分子が組み合わさってできているよ。ただ、繊維の分子は、お互いに結びつく力が弱いんだ。特に「綿」や「麻」などの繊維は、洗濯の時に水を含んでふくらむと、分子の結びつきがほどけてバラバラになってしまう。そして、洗濯機の中でくしゃくしゃになった服をそのまま乾かすと、繊維がゆがんだ状態で分子が再び結びついてしまうため、しわが寄ってしまうんだ。

繊維の分子の結びつきは、熱を加えることでもゆるめることができる。だからアイロンをかける時はまず、しわが寄った**繊維の分子を熱して、結びつきをゆるめる**んだ。この状態で**上から重み（圧力）をかけると、分子の結びつきを平らに並べ直すことができる。**アイロンがけの作業では、こうして服のしわをのばしているんだ（※）。

※アイロンがけはヤケドに注意して、必ずおとなの人とやりましょう。

[洗濯した服にしわが寄る仕組み]

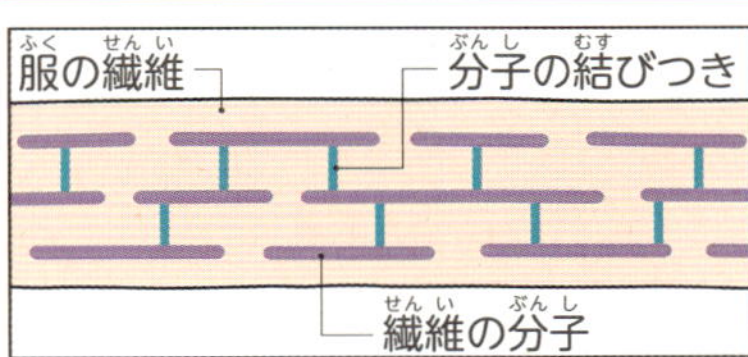

①左のイラストは、洗濯する前のしわが寄っていない繊維の状態だよ。

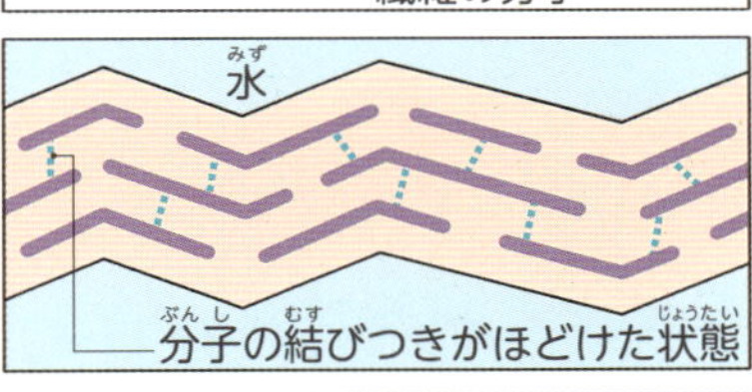

②服を洗濯すると繊維が水を吸って、分子の結びつきがほどけてしまう。

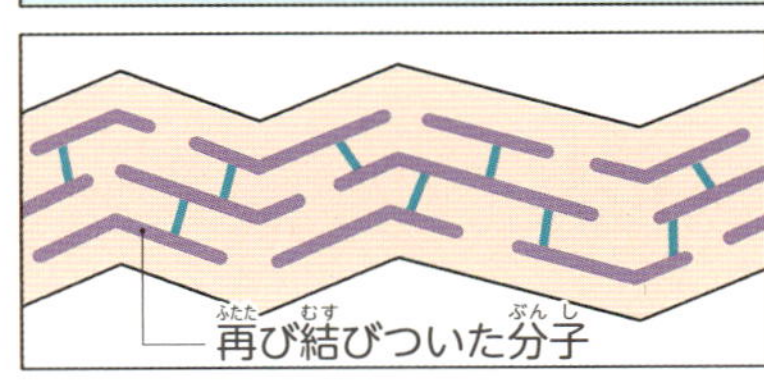

③洗濯してくしゃくしゃになった服を乾かすと、繊維がゆがんだ状態で、分子が再び結びつく。

アイロンがけの時に霧吹きで服を湿らせたり、スチーム（蒸気）機能つきのアイロンを使ったりするのは、繊維の分子の結びつきをゆるめるためだったのね！

アイロンがけをしなくてもいい、形状記憶シャツっていうのは、特別な生地を薬品に浸すなどして、繊維の分子がしっかり結びつくように加工してあるらしいぞ！

ヒゲの不思議
「おとなにはなぜヒゲが生えるの?」

ピピピピッ
バンッ
う～ん、ムニャムニャ。
7:00
グ～グ～
グ～グ～

ふぁ～～～、
よく寝たなー。

シャッ
今日もいい天気だ。

ん!?
ま、まずい!!
9:05

6-1

待ち合わせの時間に遅れたら、また英理の機嫌が悪くなる。
あたふた

それじゃあ行ってくる。夕飯はいらないからな。
ちょっと待って、お父さん!

無精ヒゲが伸びてるわ。
それじゃあお母さんに嫌われちゃうわよ！
もぐもぐ
そ、そうか？
ちゃんと歯もみがくのよ。
分かってるって。

ちっ、毎日そるのはめんどくせーな。
ジジ…ジジジ

その点、ガキはヒゲをそらなくていいからうらやましいぜ。
ゴシゴシ

6-2

どうしておとなになると、ヒゲなんてめんどくさいものが生えてくるんだろうなぁ……。

解明!

ヒゲの不思議

「おとなにヒゲが生えるわけはこれだ!!」

思春期とからだつきの変化

子どものころは、男女間でからだつきに大きなちがいは見られない。ところが、女性は小学校中学年ごろから丸みを帯びたからだつきに、男性は小学校高学年ごろからがっしりしたからだつきになる。このように、からだが成長する時期を「思春期」と呼ぶんだ。

人間の体内では、さまざまな種類の「ホルモン」という物質がつくられている。このホルモンのうち、思春期の女性の体内では「女性ホルモン」、男性の体内では「男性ホルモン」が活発につくられるようになり、それぞれの働きによって、からだつきなどのちがいが生じてくるんだよ。

思春期の男性は、男性ホルモンの働きによって声が低くなったり、骨が太くなったり、筋肉が発達したりするよ。**男性ホルモンには、からだの毛を濃くする働きもある。だから男性は、成長するとヒゲが生えてくる**んだよ。

こうして男女ともに、小学生の後半ごろからおとなのからだに成長していくんだね。

[思春期の主なからだの変化]

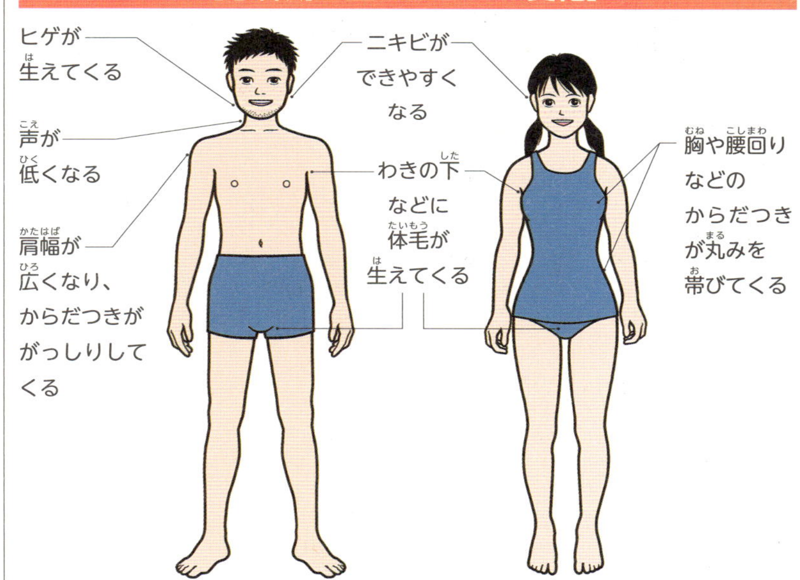

ヒゲが生えてくる
声が低くなる
肩幅が広くなり、からだつきががっしりしてくる
ニキビができやすくなる
わきの下などに体毛が生えてくる
胸や腰回りなどのからだつきが丸みを帯びてくる

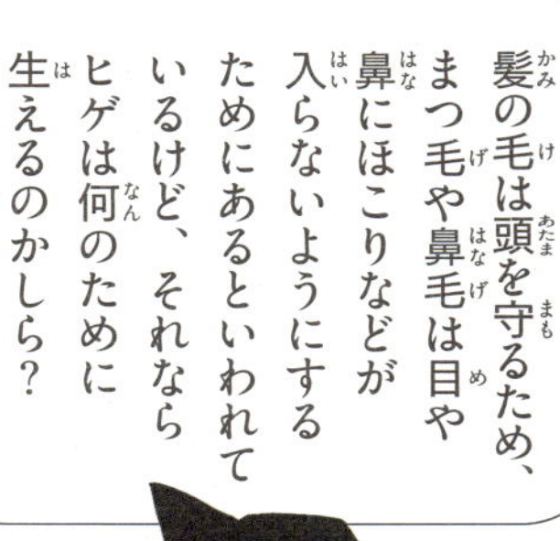

髪の毛は頭を守るため、まつ毛や鼻毛は目や鼻にほこりなどが入らないようにするためにあるといわれているけど、それならヒゲは何のために生えるのかしら？

ヒゲには、見た目で男女を区別できるようにする役割があるそうだぞ。ただ、女性の体内でも男性ホルモンはつくられているから、ごくたまにヒゲが濃い女性もいるけどな〜。

PM2.5の
不思議

「PM2.5の正体は？」

毛利探偵事務所

帰ったぞ。
あら、お母さんと夕ご飯を食べてくると思ってたわ。

おれもそのつもりだったんだけどな……。

遅刻よ！
す、すまん。

!!

7-1

ど、どうしたんだ？
実は……
朝からセキと涙と鼻水が止まらないのよ。
グスッ

仕方ないから、英理を家まで送って、
一人で映画を観て、帰ってきたんだ。
POP

お母さん、カゼかしら？
それとも花粉症？

いや、
確かピーエム何とかって……。
それってPM2・5のことじゃない？

それだ！
新しいインフルエンザのウイルスか何かかしら？
PM2・5っていうのは、空気中に浮かんでいる直径2・5マイクロメートル以下の粒子全般のことをさすんだ。

それを吸うと、何でセキや鼻水が出るんだ？
ズズー
ゴホゴホ

それじゃあこれからぼくが、PM2・5について教えてあげるよ！

「PM2・5の正体はこれだ!!」

空気中の微粒子の種類

見た目はきれいな空気でも、その中には液体や固体の小さな粒（微粒子）が含まれている。例えば、ものを燃やした時に出るすすや、風で舞い上がった砂、工場などで生じるちりのほか、自動車の排ガスなどが空気中を漂っているよ。この微粒子のうち、粒の直径が2・5㎛（マイクロメートル）以下のものを特に「PM2・5」と呼んでいるんだ。1㎛とは、1㎜の千分の一の長さのこと。つまりPM2・5は非常に小さな粒子だから、マスクでも防ぐことが難しく、呼吸とともに体内に入ってしまう。このため、健康への悪影響が大きいとされているよ。

空気中の微粒子は、目に入ったり、鼻やのどに入って、健康にさまざまな悪影響を及ぼすよ。特にPM2・5は粒が小さいため、肺の中まで入ってしまう。このため、喘息や肺がんになる可能性が高まるといわれているんだ。この微粒子を体外に出そうとするからだの働きによって、人間は涙を流したり、セキやくしゃみをしたりするんだよ。

【PM2.5、花粉、髪の毛の大きさ比べ】

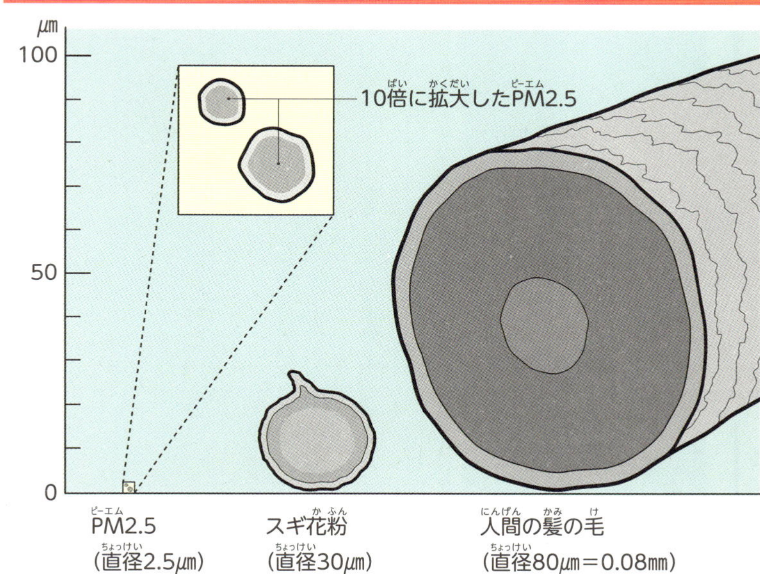

PM2・5を吸わないようにするためには、顔に合った大きさの、微粒子を防ぐ特別なマスクをすることが必要なのね！ 目に入らないようにするためには、お母さんみたいにゴーグルをすればいいんですって!!

ふーん、室内には空気清浄機を置けばいいのか……。今度、英理にプレゼントしてやろう！

「カニをゆでるとなぜ赤くなるの？」

8-1

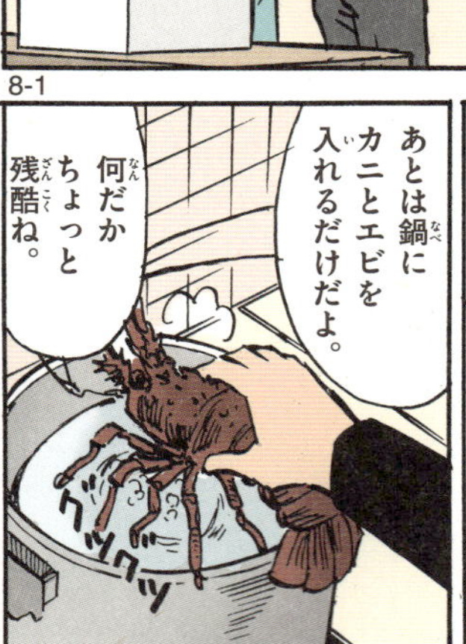

仕方ないよ。人間はほかの生き物の命をいただいて生きてるんだから。
それはそうだけど……。
パカッ
ゆであがったみたいね。

まあっ、エビもカニも真っ赤にゆであがって！
かわいそうだけど……おいしそう!!

でも、不思議よね。
生きてた時は青みがかっていたのに……

8-2

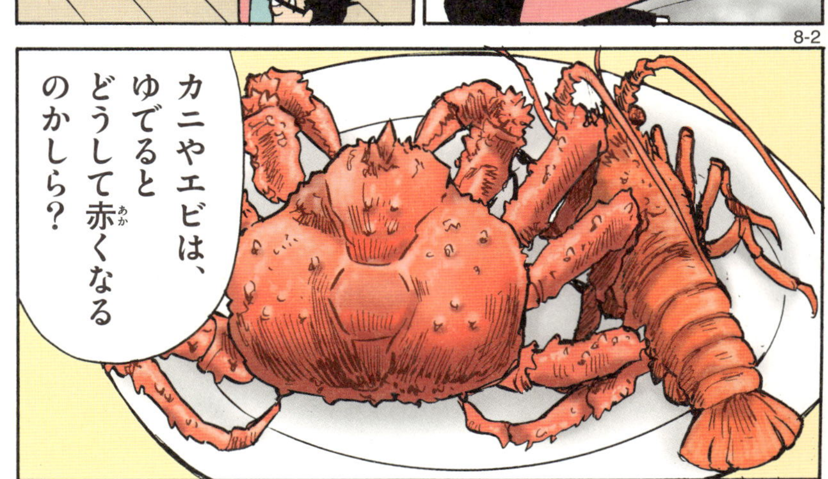
カニやエビは、ゆでるとどうして赤くなるのかしら？

「カニをゆでると赤くなるわけはこれだ!!」

カニやエビの赤い色の素

生きているカニやエビの体色は、青黒い灰色だ。これは、海の中で敵や、えさとなる相手に見つからないようにするためなんだよ。

でも実は、カニやエビはもともと殻の部分などに「アスタキサンチン」という赤い色素を持っている。この色素は、ニンジンなどに含まれる赤い色素の仲間だよ。ただ、カニなどの場合、生きている時は色素がたんぱく質と結びつき、黒ずんで見えるんだ。

ちなみに、たんぱく質というのは生物が生きていくうえで欠かせない物質のことだ。からだのあらゆる場所で、さまざまな働きをしているよ。

赤い色素のアスタキサンチンは、たんぱく質と結びつくと黒ずんで見えるけど、熱が加わると結びつきがほどけ、本来の赤い色に戻るんだ。このため、カニやエビをゆでると赤くなるんだよ。このように、熱などによって、ある物質の成分の結びつきに変化が生じることを『化学変化』と呼んでいるよ。

[サケの肉が赤いわけ]

アスタキサンチンは、生き物にとってエネルギー源となる。カニやエビのほか、魚のサケも、この色素をエネルギー源として利用しているよ。意外だけれど、サケは本来、白身の魚なんだ。

ところが、海でエビに似た「オキアミ」というプランクトンなどをたくさん食べて、アスタキサンチンを体内に蓄えることによって、次第に筋肉が赤く染まってくるんだよ。

カニやエビは赤い色素を持っているけど、生きているあいだはそれが目立たなくなっていただけなのね。お酢につけたり、鮮度が落ちてきた場合も、たんぱく質の働きが弱まって、赤くなることがあるんですって。

アスタキサンチンは藻に含まれていて、それをカニやエビが食べて、体内に色素を蓄えているのか～。

雨の不思議

「空から降る雨が当たってもなぜ痛くないの？」

キーン
コーン
カーン

学校の耐震工事、いつまで続くのかしら。
あと半年はかかるんじゃないかな。

前から不思議に思っていたんですけど……
工事現場でよく見る、屋根のひさしを逆さまにしたような出っぱりは何のためにあるんですかね？

9-1

あれは上からの落下物を防ぎ止めるためのもので、『朝顔』というんだ。
確かに似てますね。

たとえ小さなナット一つでも、高い場所から落ちてきたものが下を歩いている人に当たったら、大ケガをさせてしまうかもしれないからな。

ところで灰原、何で傘なんか持ってるんだ?

朝の天気予報を観なかったの?

今日は午後から天気がくずれるんですって。
ポツ
——とか言ってるうちに、降ってきた。

うわっ、土砂降りだ!
♪
ザー

コナンくん、雨はビルよりも高い所から降ってくるんですよね?
ああ。

9-2

それなのに、空から降る雨に当たってもケガをしないのはなぜなんでしょう?

「空から降る雨が当たっても平気なわけはこれだ!!」

空気はじゃまもの!?

ふだんの生活で、身のまわりに空気があることを意識することは少ないだろう。でも、自転車に乗ってスピードを出した時、しかも向かい風だったりした場合は、空気がじゃまになって進みづらいと感じるはずだ。このように、移動する物体に対して働く空気の力を「空気抵抗」と呼ぶよ。

この空気抵抗を減らすため、例えば時速200km以上で走行する新幹線は、ふつうの電車よりも先頭車両の形を細長くしている。逆にパラシュートは、安全に着地するため、膜を広げることで空気抵抗を受け、落下速度を遅くしているんだよ。

雨はビルよりもはるかに高い雲から落ちてくるけど、空気抵抗を受けてゆっくりと落ちてくる。直径0・5㎜の小さい雨粒だと、落ちてくる速度は時速8km（秒速2・2m）くらいだよ。しかも雨は液体だから、当たった瞬間に変形して、その衝撃をほぼ逃がしてしまう。だから、雨が当たっても痛くないんだよ。

［大きさによって変わる雨粒の形］

直径２～４㎜の雨粒

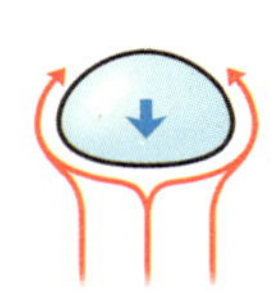

直径５㎜以上の雨粒は、降ってくる途中で２つに分かれる！

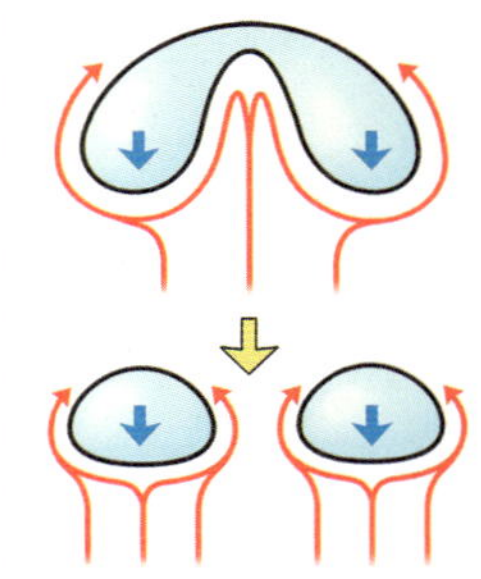

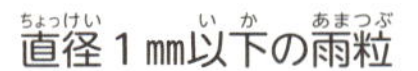

直径５㎜くらいの雨粒

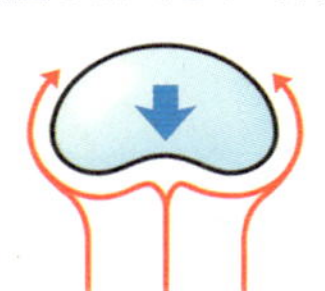

まんがなどでは、雨粒を「しずく形」に描くけれど、本当の雨粒を真横から見ると上の図のような形をしているよ。（上の図で、下向きの青い矢印は「落ちる力（重力）」、上向きの赤い矢印は「空気抵抗」を表しています。）

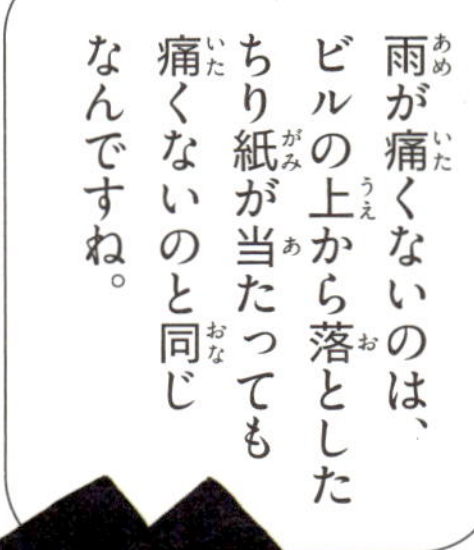

雨が痛くないのは、ビルの上から落としたちり紙が当たっても痛くないのと同じなんですね。

大きな雨粒は質量（重さ）が大きいから落下速度も増して、痛く感じる場合もあるわ。直径３㎜の雨粒だと時速25～30㎞で落ちてくるそうよ。さらに、雹のように硬いものは、当たるとケガをする場合もあるから危険なの。

『人間にはなぜヘソがあるの?』

10-1

ゴロゴロ
『雷様にヘソをとられる』というのは一種のたとえで、
ピシャッ
雷は木のてっぺんなど高い所に落ちるから、雷が鳴っている時は低い姿勢をとりなさい
……とか、
雷雨になると急に気温が下がるから、お腹を冷やさないようにしなさい……とかいう意味が込められているそうだよ。
わ、私が言いたかったのもそれよ。
なあ、コナン。
ゲコ
ん？
ほら、よく見るとカエルにはヘソがないだろ？

10-2

なのに、人間にはどうしてヘソがあるんだ？

「人間にヘソがあるわけはこれだ!!」

動物の生まれ方のちがい

動物のうち、背骨を持つ脊椎動物の仲間には、人間を含むホ乳類のほか、マグロなどの魚類、カエルなどの両生類、ワニなどのハ虫類、ハトなどの鳥類がいるよ。このうち、母親が赤ちゃんを産み、母乳で育てるのはホ乳類だけで、あとの動物は卵を産むんだ。

ホ乳類の赤ちゃんは、ある程度成長するまで、母親のお腹の中の「羊水」という水の中で育つ。水中では呼吸できないから、「ヘソの緒（臍帯）」という管を通して母親から酸素や栄養をもらっているよ。やがて赤ちゃんが産まれると、ヘソの緒は自然にとれてしまう。そのとれたあとが、ヘソなんだ。

ホ乳類の赤ちゃんの場合は、ヘソの緒がとれたあとがヘソとして残る。だから人間だけじゃなく、イヌやネコからクジラまで、ホ乳類にはヘソがあるんだ。一方、卵で産まれる動物の仲間は、育つのに必要な栄養が卵の中に含まれているので、母親とヘソの緒でつながっている必要がない。だから両生類のカエルなどにはヘソがないんだよ。

[ヘソができる仕組み]

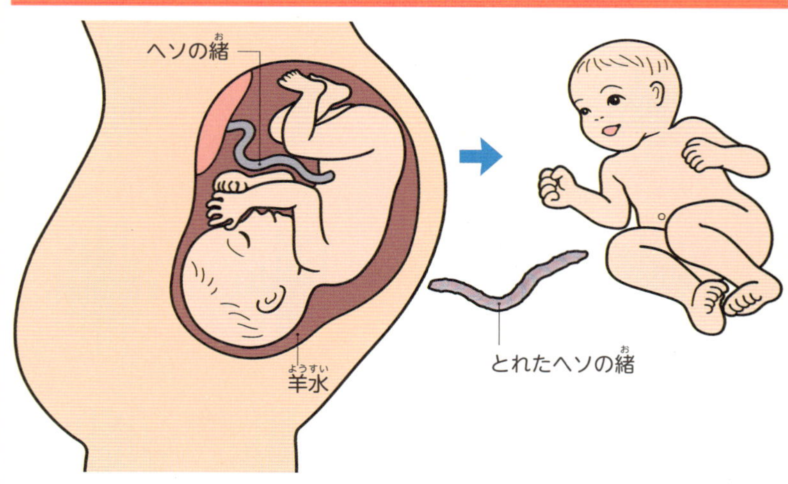

人間の赤ちゃんは、母親のお腹の中で、ヘソの緒を通して酸素や栄養をもらっているよ。

赤ちゃんはヘソの緒をつけたまま産まれてくる。やがて、ヘソの緒がとれると、そのあとがヘソになるよ。

ホ乳類の中でもカモノハシとハリモグラは、卵を産み、赤ちゃんを母乳で育てるちょっと変わったタイプなの。だから、ホ乳類なのにおへソがないのよ。

ニワトリの卵の場合だと、黄身の部分がからだをつくる素と栄養分になってるのか～。白身はほとんど水分で、硬い殻と一緒に黄身の部分を守ってるんだってさ。

ナメクジの不思議

「ナメクジに砂糖をかけるとどうなるの？」

ようやく雨があがったな。

ほら見て！カタツムリがいるわ。

うげっ。こっちのコンクリートの壁はナメクジだらけだ。

あら、ナメクジを差別したらかわいそうよ。
何でだ？

11-1

ナメクジもカタツムリも陸に棲む貝の仲間なの。ナメクジは貝がらが退化して、なくなってしまっただけなのよ。

そう言われても、やっぱりナメクジはちょっと……。
あらそう？
あっ、そうだ！

11-2

※ナメクジも生き物の仲間です。むやみに殺すのはやめましょう。

解明！
ナメクジの不思議

「ナメクジに砂糖をかけるとこうなる!!」

半透膜と浸透作用

物質はすべて「分子」という小さな粒からできている。例えば、水は「水分子」が、塩は「塩分子」が集まったものだ。この2つの分子の粒の大きさを比べると、塩分子の方が大きいよ。

ところで、小さな分子は通すけれど、大きな分子は通さない膜を「半透膜」と呼ぶよ。この膜をはさんで塩水と真水が接すると、同じ濃さになろうとして、真水が塩水の方へと移動するんだ。なぜかというと、塩分子は半透膜を通れないから、同じ濃さになるためには、真水の水分子が塩水の方へ移動するしかないからだ。このような働きを「浸透作用」と呼ぶんだよ。

ナメクジのからだは99%が水分だ。そして皮ふはなく、半透膜と粘液でおおわれている。そこに塩をかけると、からだのまわりに濃い塩水ができて、浸透作用で体内の水分が体外に出てきてしまう。このためナメクジはどんどん縮んで、しまいには消えてしまったように見えるんだ。砂糖をかけた場合も、塩をかけた場合と同じ浸透作用が起こるよ。

[半透膜の仕組み]

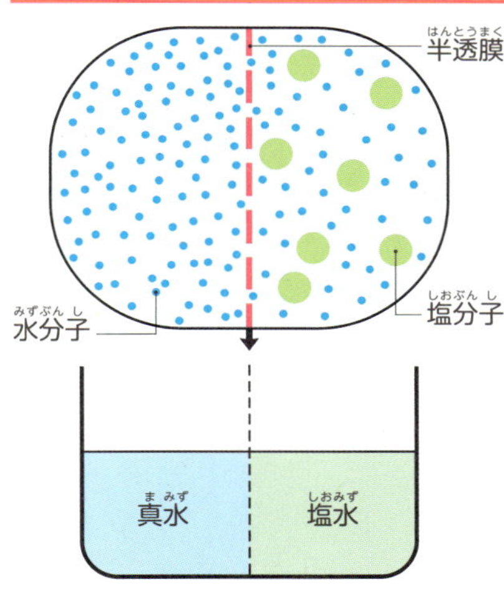

半透膜をへだてて真水と塩水が接した場合、水分子は自由に往き来できるが、塩分子は半透膜にさえぎられてしまうよ。

真水　塩水

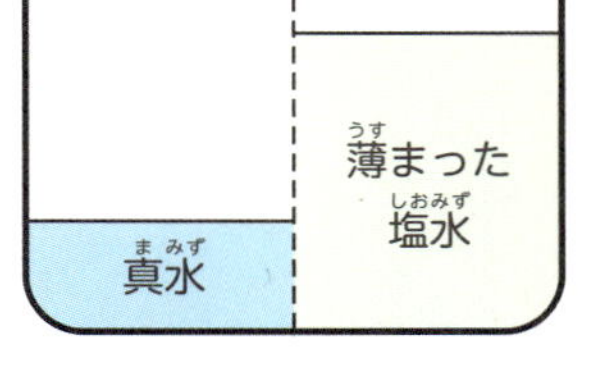

水分子だけを通す半透膜の仕切りがあるビーカーに真水と塩水を入れると、２つの液体が同じ濃さになろうとして、真水から塩水へ水分子が移動する。ナメクジに塩や砂糖をかけると、これと同じ現象が起こるんだ。

ナメクジに塩や砂糖をかけると、溶けて消えるのではなく、縮んで小さくなるんですね！

ポリ袋にキャベツと塩を入れてもむと、キャベツから水分が出てきて、おいしい漬物ができるわ。逆に、千切りにしたキャベツを水につけると、キャベツが水を吸ってシャキシャキになるのよ。これも浸透圧の作用なの。

クモの不思議

「クモはなぜ自分の巣にかからないの？」

雨はやんだけど……。
明日の天気が気になりますね。

せっかく阿笠博士が山登りに誘ってくれたのに……。
雨なら延期でしょうね。

ほらあそこ。クモが巣づくりをしているわ。
ああ。
だから、明日はきっと晴れるわよ。
どうして分かるんだ？

12-1

クモは夕方から夜にかけて、天気のいい日に巣づくりをはじめるの。

そして、朝にクモの巣がかかっていれば、その日は晴れになるといわれてるのよ。

ほかにもクモにまつわる言い伝えはたくさんあるわ。
へーっ。

ちなみにクモの巣は、巣の枠組みとなるタテ糸と、

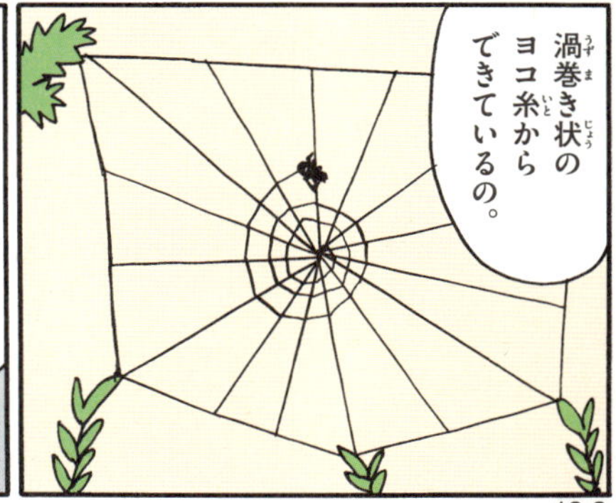
渦巻き状のヨコ糸からできているの。

確か、そのヨコ糸にねばねばする粒がついていて、えさとなるほかの昆虫を捕まえるんですよね？
その通りよ。

12-2

それじゃあさ、クモはどうしてほかの昆虫みたいに、自分の巣にかからないんだ？

「クモが自分の巣にかからないわけはこれだ!!」

鋼鉄より強いクモの糸

日本に棲むクモは約1200種類。このうち半数近くが、腹部から出す糸でクモの巣(網)をはる。ただ、網をはらないクモでも、昆虫などの獲物に糸をからめてから襲いかかったりするよ。

クモの糸はとてもじょうぶで、同じ太さの鋼鉄より約5倍も強い。直径1㎝の糸で網をはれば、飛行機を〝捕獲〟することもできるんだ。

網をはるタイプのクモは、まず、このじょうぶな糸をタテ糸に枠組みをつくり、次にヨコ糸を渦巻き状にはり巡らせる。ヨコ糸にはべたべたした粘液がついているため、網にかかった獲物が逃げられなくなってしまうんだよ。

理由は単純明快よ! **クモは巣(網)を移動する時にべたべたしたヨコ糸を避け、タテ糸だけを歩いているの。**だから、自分の巣にかからないのよ。でも、巣をよく見ると、ところどころ糸がからんでいたりする部分があるの。これは、巣をはる時にクモが自分の足で引っかけてしまった跡だそうよ。意外とうっかり屋さんなのかもね。

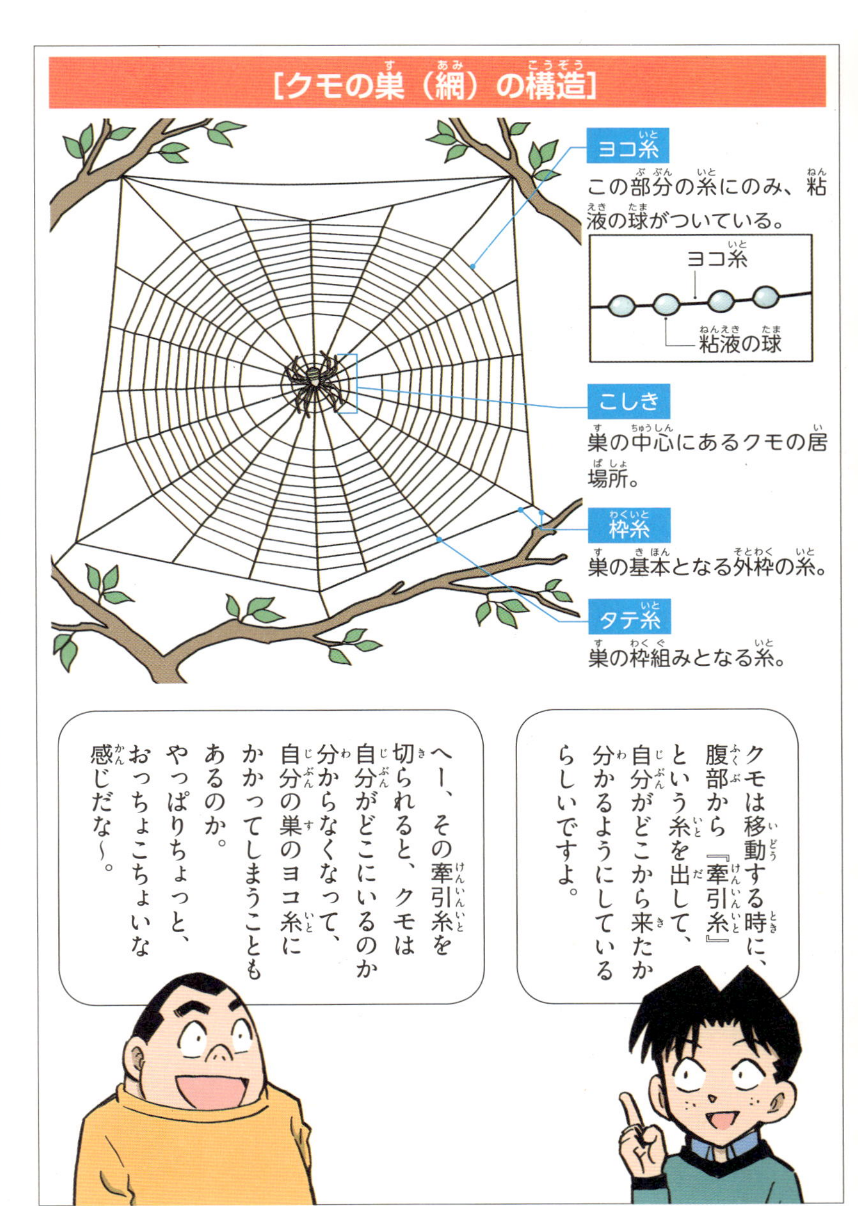

[クモの巣（網）の構造]
ヨコ糸
この部分の糸にのみ、粘液の球がついている。
ヨコ糸
粘液の球
こしき
巣の中心にあるクモの居場所。
枠糸
巣の基本となる外枠の糸。
タテ糸
巣の枠組みとなる糸。
クモは移動する時に、腹部から『牽引糸』という糸を出して、自分がどこから来たか分かるようにしているらしいですよ。
へー、その牽引糸を切られると、クモは自分がどこにいるのか分からなくなって、自分の巣のヨコ糸にかかってしまうこともあるのか。やっぱりちょっと、おっちょこちょいな感じだな～。

気圧の不思議

「山に登るとなぜ耳が聞こえにくくなるの？」

日本晴れのよい天気じゃな。
山登りに誘ってくれてありがとう。

今夜は山頂にテントをはって、一泊するぞ！
やったー。

登山道入口
おれが頂上に一番乗りだ！
1人で行ったら危ないですよ！

13-1

しばらくして——。
元太くん、先に行っちゃったけど……。
ちょっと心配だな。

おっ。
ぜえぜえ
あんな所でへばってるぞ。

おい、だいじょうぶか？
そ、それが……

水を飲もうと思ったら、ペットボトルがパンパンにふくらんでて…。
ミネラルウォーター
ふたが固くて開けられなかったのね。

のどはカラカラだし、それに何だか耳が聞こえにくくて……。
おれ、病気になっちゃったのかな？

バカね。
山に登ったら、そんなの当たり前じゃない。
えっ!? そうなのか？

13-2

なあ博士、山に登るとどうして耳が聞こえにくくなるんだ？

「山に登ると耳が聞こえにくくなるわけはこれだ!!」

空気には重さがある！

ふだんはあまり意識していないだろうけれど、実は空気には重さがある。そして、地球上のあらゆるものに、空気の重さによる力がかかっているよ。これを「気圧」と呼ぶんだ。例えば、海面と同じ高さだと、1㎠の面積に対して約1kgの気圧がかかっているよ。
気圧は、海面からの高さによって変化する。例えば、低い場所よりも、高い山の上の方が気圧は小さくなるよ。これは、高い場所ほど、その地面から上にある空気の層の厚さが減るため、同じ面積にかかる空気の重さが減るからだ。この気圧の変化こそ、山に登ると耳が聞こえにくくなる原因なんだよ。

耳の中には、外からの音を伝える『鼓膜』と呼ばれる膜があるんじゃ。鼓膜は、耳の内側と外側をへだてておるぞ。ふだんは鼓膜を内側から押す気圧と、外側から押す気圧が等しいのじゃが、山に登ると、鼓膜を外側から押す気圧が小さくなる。このため、鼓膜が外側にふくらんでしまい、耳が聞こえにくくなるんじゃよ。

［気圧の変化と鼓膜の関係］

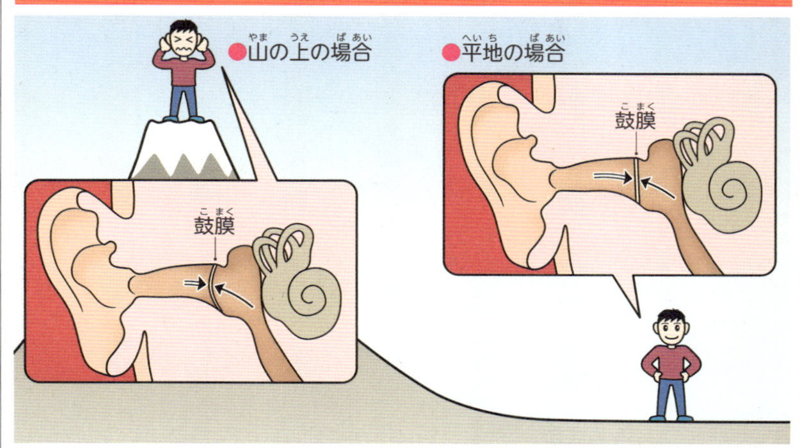

山の上など高い場所に行くと、鼓膜を外側から押す気圧が小さくなるため、鼓膜が外側にふくらんでしまうよ。

⇒鼓膜を外側から押す気圧
←鼓膜を内側から押す気圧

ペットボトルが変形したのも、気圧の変化が原因なのか！ ペットボトルを外から押す気圧が小さくなったから、パンパンにふくらんでしまったんだな!!

耳が聞こえにくくなったり、痛くなってきたりしたら、つばを飲んだり、あくびをしたりするといいんですって！ 元太くんも試してみたら？

気温の不思議

「山に登るとなぜ気温が下がるの？」

でもよー、何か変じゃないか？

だって、おれたちは山に登る前より太陽に近づいてるはずだろ？
それがどうしたんだ？

私、元太くんの言いたいことが分かったわ！

たき火やストーブは火に近づいた方が暖かいでしょ？
パチ
パチ
ああ。
それなのに、山に登って太陽に近づいても暖かくならないどころか、逆に寒くなってきたのが不思議だってことなのよ。

14-2

ねえ博士、
山に登ると太陽に近づくのに、どうして寒くなるの？

「山に登ると気温が下がるわけはこれだ!!」

太陽と地球の距離

太陽と地球は約1億5000万㎞も離れている。それに比べて、日本で一番高い富士山でも高さは3776m。たとえ太陽と地球の距離を考えれば、富士山に登っても、あまり「太陽に近づいた」とはいえないよね。つまり山の上が寒いのは、「太陽に近づいたかどうか」とは別の理由が原因なんだ。

地球をとり巻く空気＝大気は、太陽の熱で直接暖められているわけではない。太陽の光は大気をほぼ通り抜けて、地面を暖めているんだ。暖まった地面、特に平地が近くの空気を暖め、暖まった空気がさらに上の空気を暖めて、熱が上に伝わっていくんだよ。

大気は平地に近い下の方から暖まる。これが、山の上の方が寒い理由の一つじゃ。
じゃがもう一つの理由は、気圧の変化によるものなんじゃよ。すでに学んだように、高い場所に行けば行くほど、気圧は小さくなる。実は空気には、気圧が小さくなるほどふくらんで、温度が下がる性質があるんじゃ。このために、山に登ると寒くなるんじゃよ。

[大気は地面からの熱で暖まる!!]

高さが100m上がるごとに気温は0・6℃下がるんですって。富士山の山頂は3776mだから、登る前より23℃近く気温が下がるのね！

逆に、空気をぎゅっと押し縮めると、温度が上がるよ。自転車のタイヤに空気を入れる時、空気入れの下の方が熱くなることがある。これは、ポンプの中で空気が押し縮められたからなんだ。

星の不思議

「星はなぜ夜しか見えないの?」

あっという間に夕暮れ時ね。
山は日が暮れるのが早いからな〜。

おっ、一番星発見!
あれは宵の明星よ。

よいのみょうじょう?
金星のことですよ。

金星は地球からだと、明け方に見える時と夕方に見える時があるんです。
というより、明け方か夕方にしか見えないのよね。

15-1

金星が明け方に見える時は『明けの明星』、夕方に見える時は『宵の明星』と呼ぶんです。

『明星』という呼び名の通り、金星は太陽と月の次に明るく見える星なのよ。
1位 太陽
2位 月
3位 金星

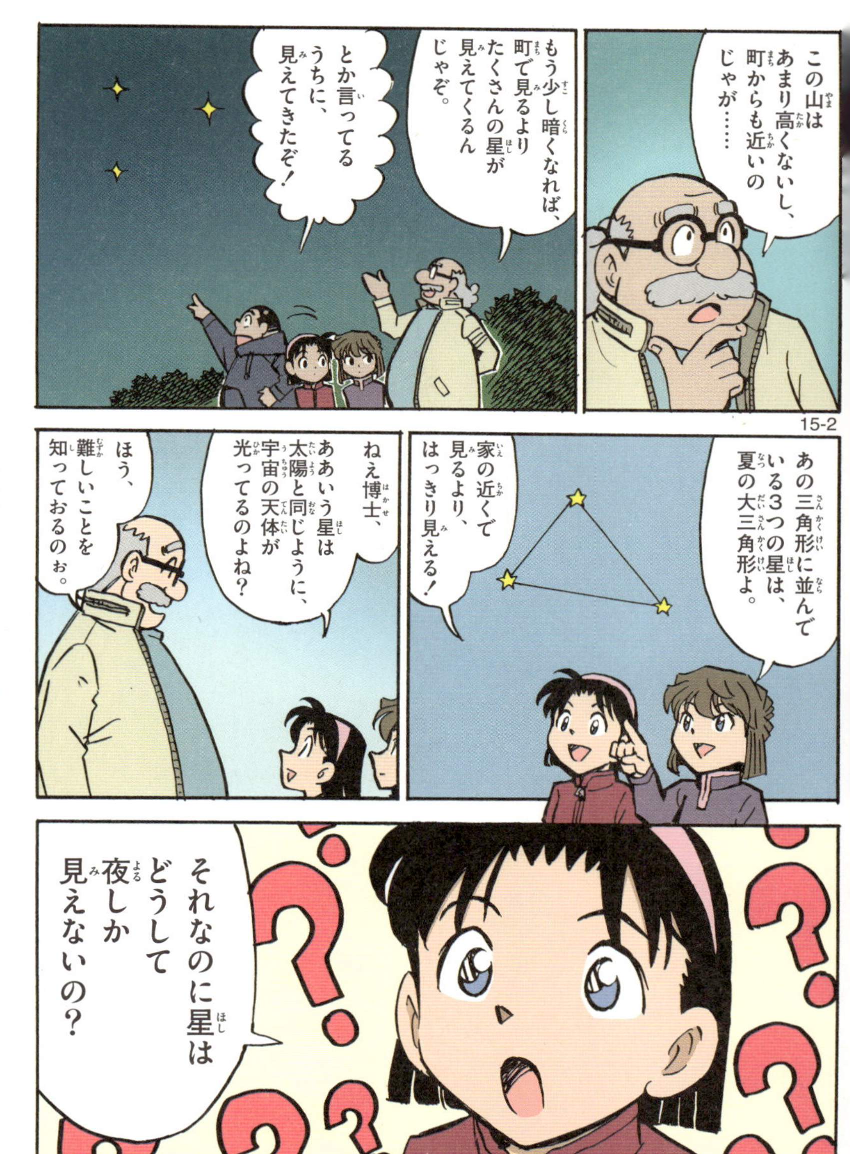
この山はあまり高くないし、町からも近いのじゃが……
もう少し暗くなれば、町で見るよりたくさんの星が見えてくるんじゃぞ。
とか言ってるうちに、見えてきたぞ!
あの三角形に並んでいる3つの星は、夏の大三角形よ。
家の近くで見るより、はっきり見える!
ねえ博士、
ああいう星は太陽と同じように、宇宙の天体が光ってるのよね?
ほう、難しいことを知っておるのぉ。
それなのに星はどうして夜しか見えないの?

「星が夜しか見えないわけはこれだ!!」

恒星と惑星のちがい

星の種類を大きく4つに分けると、恒星、惑星、衛星、すい星がある。このうち、恒星はガスでできた星で、自ら光を放っている。太陽も恒星だ。そして、惑星は岩やガスなどでできた星で、自らは光らない。地球も惑星だ。

4種類の星のうち、自ら光を放つのは恒星だけで、ほかの星は恒星の光を反射しているだけだ。だから、地球から見える星のほとんどは、実は恒星なんだよ。ただ、広い宇宙の中でも比較的太陽に近く、地球からも近い金星などの惑星は、太陽光を反射した輝きが明るく見えるんだ。でも、それではなぜ、星は夜にしか見えないのだろう?

星が夜しか見えない理由は単純じゃ。**昼は太陽の光で周囲が明るすぎるため、地球からは星の光が見えない**だけなんじゃよ。この地球上で、わしらのいる場所が昼だろうと夜だろうと、宇宙では常に恒星や恒星の光を反射した惑星が光っておるぞ。その証拠に、日食の時に暗くなった空を見上げると、昼でも星が見えることがあるんじゃよ。

[太陽の光と星の関係]

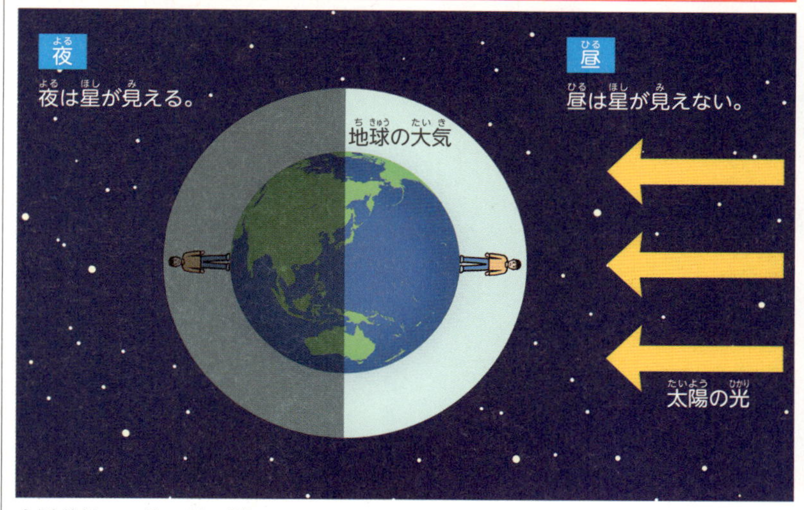

宇宙空間では星は常に光っている。でも、地球上で太陽の光が当たっている昼の地域からは、太陽の光が明るすぎて、星を見ることはできないよ。

スマートホンや携帯ゲーム機の液晶画面が、昼の明るい太陽の下では見えにくいのと同じなのね。星の光も弱いから、太陽の光が明るすぎると見えないんだ！
都会の夜はビルの照明などで明るいから、星が見えにくいの。だから、星を観察するなら山の上など、暗い場所に行くといいわ。都会よりもたくさん星が見えるはずよ。

月の不思議

『月の形はなぜ変化するの？』

このピラフ、うめ～。
ガツガツ

ふーん、アルファ化米のエビピラフか。
アルファ化米？

アルファ化米をひと言で説明すると……
炊いたご飯を乾燥させて、長期間保存できるようにしたものなんだ。

乾燥

16-1

容器の袋にお湯か水を注ぐだけで食べられる優れものだから……
エビピラフ

登山用の食糧や、災害時の非常食として利用されているんだよ。
へーっ。

ふあ〜あっ
どうやら腹がふくれて、眠くなってきたようじゃの。

明日は早起きをするから、そろそろ寝るとしよう。
はーい。

月がとっても明るいわ！
今日は満月だからね。

ねえコナンくん、月は満月になったり三日月になったりするよね？
ああ。

16-2

月の形が変化するのはどうしてなのかしら？

「月の形が変化するわけはこれだ!!」

月はどうして輝くの？

月にはいろいろな形があり、満月と三日月では見た目がずいぶんちがう。けれど、まちがいなく同じ月だ。その証拠に、三日月をよく見ると、暗い部分に丸い形がうっすらと見えることがある。つまり、月の形が変化しているわけではなく、月が明るく輝いている部分の見え方が変化しているんだ。

それならば、月はどうして輝くのだろう？ 月は地球のまわりを回る衛星で、恒星ではない。だから、自ら光を放っているわけではなく、鏡のように太陽の光を反射して輝いているんだ。つまり、月の輝いている部分は、太陽の光に照らされている場所なんだよ。

地球は、太陽のまわりを約1年かけて回っている。そして月は、地球のまわりを約1か月かけて回っているよ。太陽、地球、月という3つの天体の位置は常に変化しているから、その位置関係によって、地球から見た月の形も変わるんだ。満月は、地球から見て、月に太陽の光が当たっている部分が多いから、ほぼまん丸に明るく見えるんだよ。

[月の位置と見え方の変化]

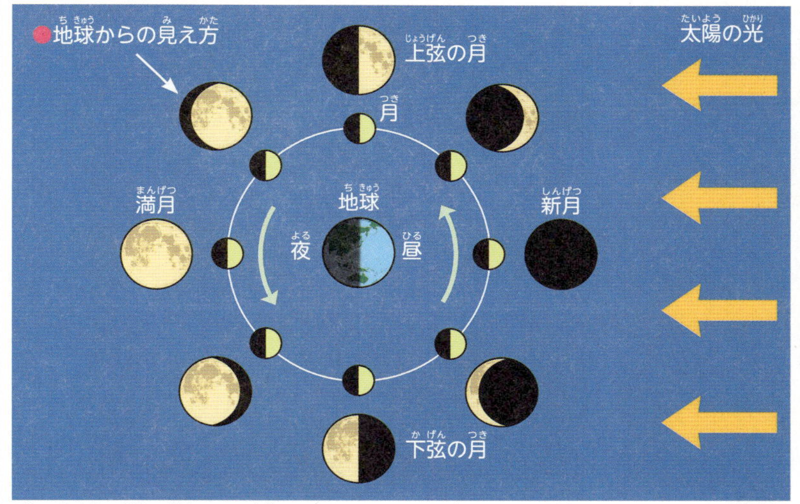

月は太陽の光を反射して輝いている。地球からの見え方は約1か月周期で満ち欠けをくり返しているよ。毎日観察を続けて、確かめてみよう！

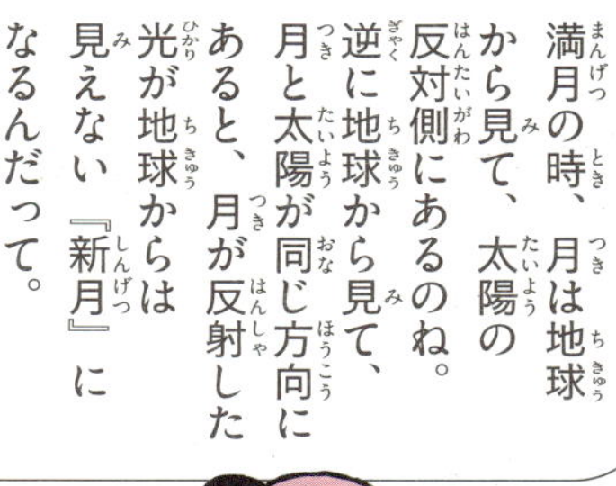

満月の時、月は地球から見て、太陽の反対側にあるのね。逆に地球から見て、月と太陽が同じ方向にあると、月が反射した光が地球からは見えない『新月』になるんだって。
月から地球を見ると、地球から見た月と同じように満ち欠けをしておるぞ。満月や三日月と同じように『満地球』や『三日地球』が見えるんじゃ。

太陽の不思議

「太陽はなぜ東からのぼり、西に沈むの?」

17-1

17-2

SCIENCE CONAN●解明! 身のまわりの不思議

「太陽が東からのぼり、西に沈むわけはこれだ!!」

地球の「自転」と「公転」

地球にいる私たちの目には、空の上を太陽が動いているように見える。でも本当は、地球が動いているんだよ。

天体が自ら回転する運動のことを「自転」と呼ぶ。そして、地球を含む太陽系で、惑星が太陽のまわりを回る運動のことを「公転」と呼ぶよ。地球は1日1回自転しながら、太陽のまわりを約1年かけて公転しているんだ。

地球を北極の真上から見ると、時計の針が動くのと反対回りに、24時間かけて一周している。だから、太陽の光が当たらずに夜だった部分も、回転とともに太陽の光が当たるようになり、やがて朝がくるんだ。

地球が自転する方向は変わることがない。だから、太陽の光は必ず東側から当たりはじめるんだ。このため、地上にいる人からは、太陽が東からのぼるように見えるんだよ。やがて、地球の自転とともに東側から太陽の光が当たらなくなり、夜になる。このため、地上にいる人からは、太陽が西に沈むように見えるんだ。

[地球の自転と太陽の光]

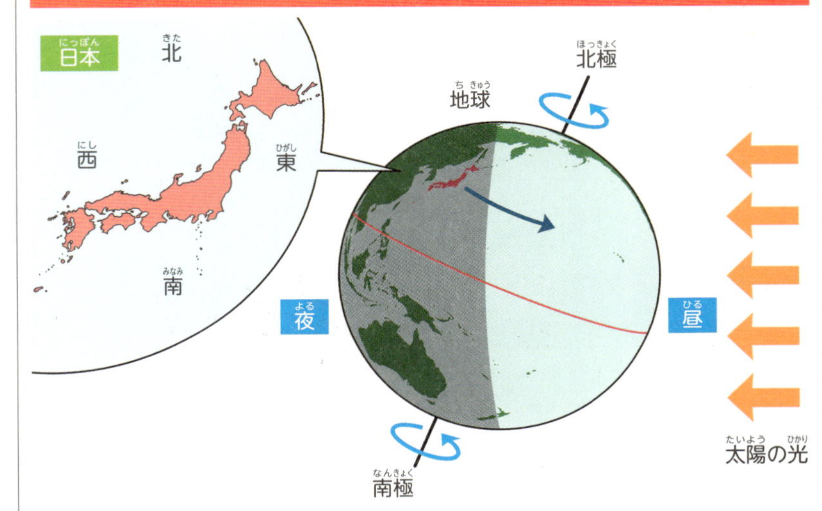

上の図で、日本はまだ夜の地域にあるけれど、地球が自転するにつれ、東側から太陽の光が当たりはじめ、昼の地域に入っていくよ。

へー。地球が自転する方向が決まっているから、太陽は東からのぼり、西に沈むと決まってるのか!!

太陽が動いている、と信じられていた400年ほど前、動いているのは地球だ、と主張した天文学者ガリレオは裁判にかけられて、罰せられてしまいました。その時、ガリレオは『それでも地球は回っている』とつぶやいたそうですよ。

朝日の不思議

「朝日や夕日はなぜ赤いの？」

うーむ、見事じゃのう。
朝日ってとってもきれいなのね。

おれには何も見えないぞ。
元太くん、なぜサングラスを？

だってよ〜、うちの父ちゃんが太陽を直接見たら、紫外線ってやつのせいで目が見えなくなるって言ってたぞ。
はっはっはっ

そもそもサングラスをかけても、太陽を直接見てはいかん。

18-1

太陽を観察する時は、専用の特殊な眼鏡を使うんじゃ。
じゃが朝日と夕日に限っては、数分くらいならば目で直接見ても平気なんじゃよ。
へーっ。

なあ博士、何で朝日と夕日なら平気なんだ？
よい質問じゃ。

昼の太陽は、例えば池の水面などに映っているのを見ると真っ白に輝いておるじゃろう？

ところがほれ、朝日はどうじゃ？
赤い色をしているわ！
そういえば、昨日見た夕日も真っ赤に燃えているようだったな～。

18-2

なあ博士、朝日や夕日が赤いのはどうしてなんだ？

解明！ 朝日の不思議

「朝日や夕日が赤いわけはこれだ!!」

太陽の光の正体は？

水面や鏡に映った太陽の光は白く輝いている。でも実は、太陽の光にはいろいろな色の光が混ざっているんだ。

みんなは、赤・橙・黄・緑・青・藍・紫の七色の虹を見たことがあるだろうか？　虹は、太陽の光が色ごとに分かれて見える現象だよ。これを逆にいうと、虹の七色がちょうどよく混ざっていると、人間の目には太陽の光と同じ白い光に見えるんだ。

朝日や夕日が赤いのは、太陽の光に混ざっている七色のうち、赤や橙の光だけが見えているからだ。それならば、朝方や夕方になると、緑や青の光はなぜ見えなくなってしまうのだろう？

地球の大気の窒素や酸素の微粒子に太陽の光がぶつかると、青い光から順に散らばっていくんじゃ。この現象を『散乱』と呼ぶんじゃよ。朝夕は光が大気を通る距離が長くなるから、微粒子とぶつかる回数も増え、青や緑の光は散らばりきって消えてしまう。そして赤や橙の光が残り、その光だけが届くので、朝日や夕日は赤く見えるのじゃ。

[太陽の光が地球の大気で散乱する様子]

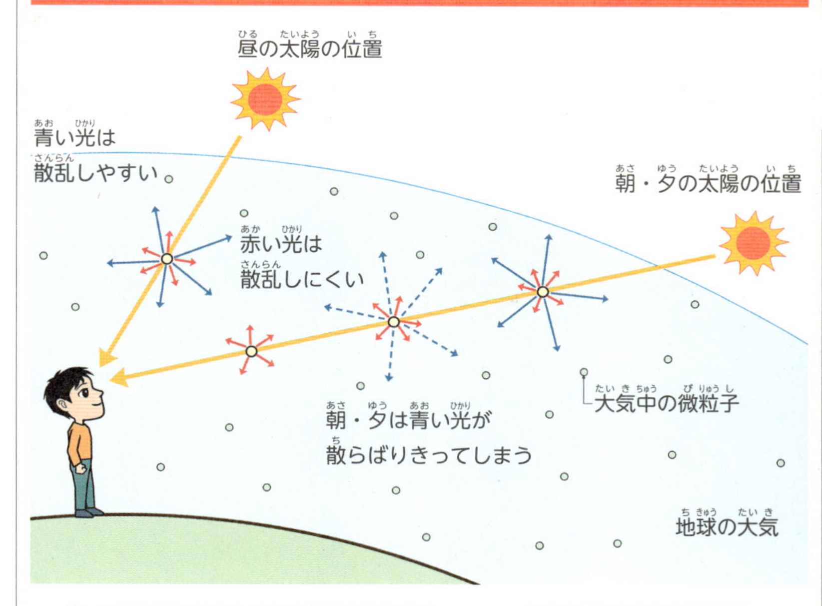

人間の目には見えない太陽光線もあるんですよ。虹の七色でいうと紫の外に紫外線、赤の外には赤外線などがあるそうです。

へーっ、青い光と同じように、紫外線も大気の中を通ると散らばって消えてしまうのか。だから、あまりまぶしくない朝日や夕日なら、直接見ても少しのあいだなら平気なんだな。

空の不思議

「空はなぜ青いの？」

山登り、楽しかったね。
ええ。
でもよー。

ふもとに着いても、まだ昼すぎくらいだろ？
何か、遊び足りないよな。

子どもたちは元気じゃのぉ。
ホッホッホッ
じゃが、わしはもうヘトヘトじゃよ。
山登りして、早起きもしたからね。

19-1

この見晴らし広場で、ちょっと休けいじゃ。
オッケー。

わしはひと休みさせてもらうぞ。
バサッ
元太たちはおれが見てるよ。

グゴー
よほど疲れたんですね。
しばらくそっとしておこうぜ。

それより見ろよ。今日も日本晴れだ！
空が真っ青で、雲一つありませんねー。

あらかじめテレビの天気予報はチェックしてきたけど……
2日間とも晴れて、本当によかったよな。

19-2

ところでコナンくん、朝の話で朝日や夕日が赤い理由は分かりましたけど、

それなら空はどうして青いのでしょう?

「空が青いわけはこれだ!!」

光の「波」って何だろう?

光は「電磁波」という波の一種だ。波は振動を伝える現象で、それぞれが決まった「一つの波から次の波まで」の長さを持っている。光の場合、短い波の振動は青、長い波の振動は赤として見えるよ。

波である光は、大気中の微粒子にぶつかると、それらに波の振動を伝える。そして振動を伝えられた微粒子は、同じ波長の光をまわりに放ちはじめるんだ。この現象が、前のコラムで阿笠博士が説明した「散乱」だよ。光の波は、短い波ほど微粒子の影響を受けやすい性質がある。だから、太陽の光は青から先に大気中で散乱するんだ。

青い光は散らばりやすく、赤い光は散らばりにくい、ということはもう分かったよね? 朝夕に比べると、昼は太陽の光が大気中を通る距離が短いから、微粒子にぶつかる回数も少なくなるため、青い光が散らばりすぎてしまうことがない。このため、散らばりにくい赤よりも青い光が目立つようになり、空が青く見えるんだ。

[ペットボトルで実験してみよう!!]

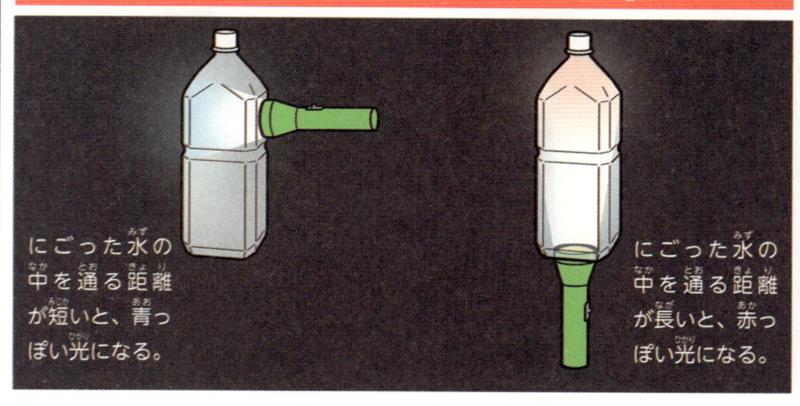

にごった水の中を通る距離が短いと、青っぽい光になる。
にごった水の中を通る距離が長いと、赤っぽい光になる。

空のペットボトル（２Ｌ）に水を満たし、数滴の牛乳をよく混ぜよう。部屋を暗くして、左の図のように懐中電灯の光をヨコから当てると、全体が青っぽく光って見えるよ。

次に、右の図のように懐中電灯の光を底から当ててみよう。すると、上の方が赤みを帯びて見えるよ。実験がうまくいかない場合は、牛乳（または水）を足して、にごり具合を調整してね！

海が青いのは、空の青さが海に映り込んでいるからなんですね。それと、水には青い光を散乱させ、赤い光を通しにくい性質もあるんだそうです。

昼の空が青く、朝日や夕日が赤い理由がよく分かる実験を上で紹介しているわ。空のペットボトルと懐中電灯、それに水と数滴の牛乳があればすぐにできるから、みんなも試してね！

おならの不思議

「どうして、おならはくさいの？」

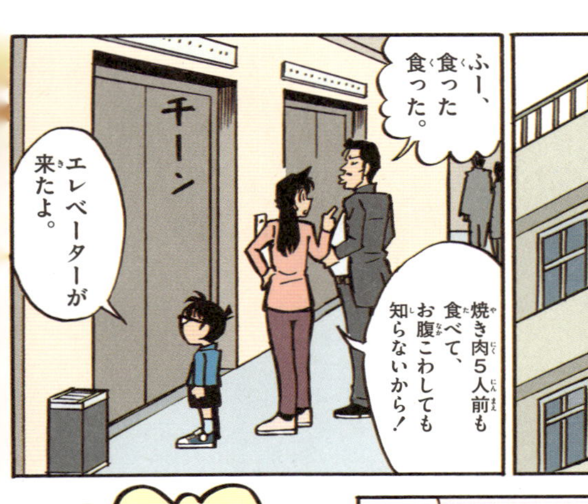

20-1

いやいや～、
おならといったら
イモを食ったヤツが
犯人だろ？
すると、
私がおならを
したとでも？
ポキ
ポキ
あ、いや……
別にそういう
わけじゃ……。

確かに
イモを食べると
おならが出やすく
なるけど、あまり
におわないんだよ。

一方、肉や
ニンニクをたくさん
食べるとおならが
くさくなるんだ。

ということは、
やっぱり……。
す、
すまん。

20-2

それにしても、
どうして
おならはくさい
んだろうな～？

「おならのにおいの正体はこれだ!!」

おならのにおいの素は何？

人間は、食べ物や飲み物と一緒に空気も飲み込んでいる。その空気のほとんどは「げっぷ」として口から出ていくけれど、「腸」などからだの奥に入ってしまった空気がおならになるんだ。

おならの成分の約70％は、口から飲み込んだ空気。約20％は、血液中に含まれる酸素や二酸化炭素などのガスが腸に浸み出したもの。そして残りの約10％は、人間の腸内に棲んでいる「バクテリア（腸内細菌）」という非常に小さな生き物がつくり出すガスだ。このガスには、メタンや炭酸ガスのほか、くさいにおいの原因となる硫化水素などが含まれているよ。

人間の腸内には１００種類以上、１００兆個以上の**バクテリア（腸内細菌）**が棲んでいる。バクテリアは、人間の食事の残りかすをえさとしているんだけど、このえさを『酵素』というもので分解し、自分の栄養にしているよ。そして、酵素で**えさを分解する時に生じるガスが、おならのにおいの原因**なんだ。

[おならの成分]

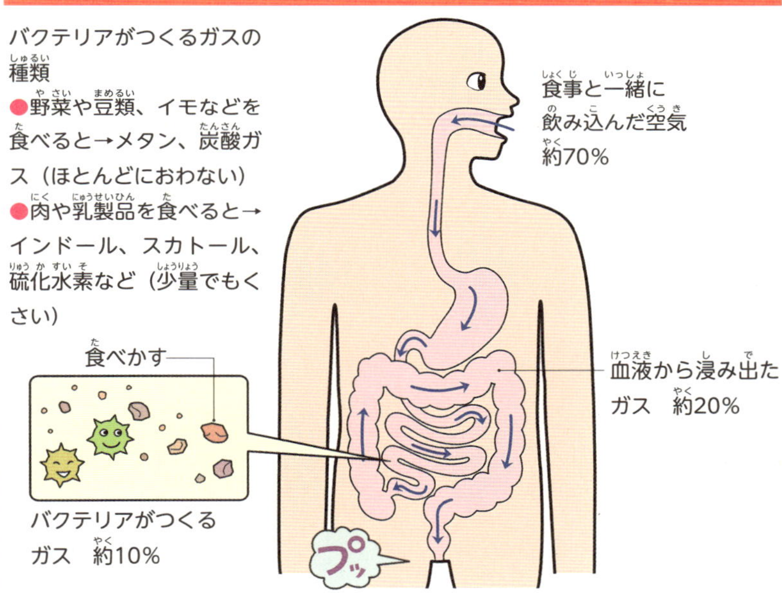

おならをがまんすると、腸内で行き場を失ったガスが、血液の中に溶け込んでしまうんですって！ 硫化水素などの健康によくない成分が、からだの中を巡ってしまうわ!!

健康のためにも、おならはがまんしないことにしよう！ ほー、タマネギやニンニクを食べると、おならがくさくなるのか……。おれも気をつけよーっと。

うんちの不思議

「どうして、うんちが出るの?」

21-1

21-2

おれたちは、どうしてうんこなんてもんをしなけりゃならないんだろうな〜？

「うんちが出るわけはこれだ!!」

「消化」って何だろう？

人間は食べ物を体内で消化することによって、生きていくために必要な栄養をとり入れている。このため体内には「消化管」と呼ぶ1本の管があり、その途中に胃や腸などの臓器があるよ。

人間はまず、食べ物を歯でかんで細かくする。そうして飲み込まれた食べ物は消化管を通って胃に運ばれ、胃液で溶かされるよ。そのあと、食べ物は小腸でさらに軟らかくされ、栄養分がからだに吸収される。あとの残りかすは大腸で水分を吸いとられてから、体外にうんちとして捨てられるんだ。でも実は、食べ物の残りかすは、うんち全体のわずか5%でしかないんだよ。

健康な状態のうんちは、その約70%が水分で、食べ物の残りかすが約5%。約15%が腸の粘膜の古くなった細胞で、約10%が腸内細菌の死がいなどだそうだよ。こういった不要なものを体内にためておくと健康に悪影響を与えるし、消化管がつまってしまうから、うんちとして体外に出しているんだね。

[食べ物の消化とうんちが出るまで]

食べ物

口

胃
食道から運ばれてきた食べ物を胃液で溶かす。

食道

十二指腸
溶けた食べ物をアミノ酸などの栄養素に分解する。

小腸
栄養分を吸収する。

大腸
残りかすから水分を吸収する。

肛門
水分を吸いとられた残りかすや、古くなった細胞、腸内細菌の死がいなどが、うんちとして出てくる。

傷んだりカビたりしたものを食べるとお腹が痛くなってゲリをするのは、からだに悪い成分をうんちと一緒にからだの外に早く出すためなんですって。

あと、胃や腸が消化しきれないほど食べすぎると、からだに負担がかかって胃もたれしたり、ゲリしたりするのか……。おれも、食べすぎには気をつけなきゃなー。

「冷蔵庫に入れた食べ物が長持ちするのはなぜ?」

22-1

おじさんの具合は？
まだダメみたい。

でも食い意地がはってるから、チャーハンはとっておけですって。
ピーッ

暑い季節だから、冷蔵庫に入れておいた方がよさそうね。

でも不思議よね。
何が？

22-2

食べ物を冷蔵庫に入れると、どうして長持ちするのかしら？

「冷蔵庫に入れた食べ物が長持ちするわけはこれだ!!」

なぜ食べ物は腐るの?

食べ物を暖かい場所に出しっぱなしにしておくと、やがて腐ってしまう。では、食べ物が「腐る」というのは、どういうことなのだろう?

食べ物にはたんぱく質や炭水化物などの成分が含まれていて、人間はそれを腸内細菌などの助けを借りて消化(分解)している。一方、私たちの身のまわりにも細菌などの微生物がいて、この微生物が食べ物につくと、それを分解して栄養をとりながら仲間を増やすんだ。これらの微生物の働きによって、食べ物のにおいや味が変化して、最後には食べられなくなってしまう現象を「腐る=腐敗」と呼ぶんだよ。

食べ物についた微生物は、暖かく湿った場所だと活発に活動し、仲間を増やしながら、どんどん食べ物を腐敗させていくよ。一方、冷蔵庫の中は温度が0~10℃くらいに保たれていて、しかも空気が乾燥している。このため、**冷蔵庫の中では微生物の活動がにぶくなり、仲間が増えるのを抑えることができる。だから、食べ物が長持ちするんだ。**

[腐敗と発酵]

腐敗

バクテリアや有害細菌（悪玉菌）などが増え、飲めなくなる。

発酵

乳酸菌（善玉菌）などの働きで、牛乳がチーズやヨーグルトになる。

牛乳

微生物の働きによって食べ物が変化することを「腐敗」や「発酵」と呼ぶよ。2つは同じ現象だけれど、人間にとって有害な場合は「腐敗」、有益な場合は「発酵」と呼び分けているんだ。

上の図のように牛乳を発酵させるとヨーグルトなどができる。けれど、やがてその中で悪玉菌が増えると、今度はヨーグルトが腐敗してしまうから、冷蔵庫の中で冷やして保存しよう！

細菌などの微生物もおれたちと同じ生き物だから、ちょうどいい温度で湿り気のある場所や、栄養が豊富な食べ物を好むんだな。

微生物は数が減ることはあっても、全滅することはまずないそうよ。だから冷蔵庫に入れた食べ物も、長く置いておくと微生物が増えて腐ってしまうの。まめに冷蔵庫の中をチェックして、気をつけなくちゃ！

電子レンジの不思議①

「電子レンジで食べ物が温まるのはなぜ？」

23-1

電子レンジで温めた方がいいかな……。
温めてあげようか？
ムッ
電子レンジくらい使えるわっ！

こうしてタイマーをセットして……と。
ピッ

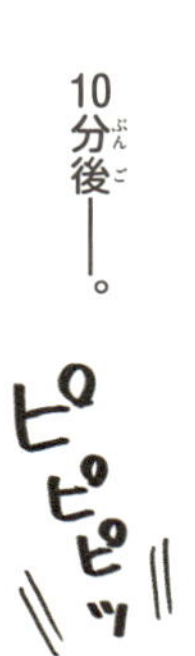
10分後――。
ピピピピッ

アチチッ。
温めすぎだよ。

23-2

わ、わざとだよ！
おれはアツアツが好きなんだ！

それにしても……
火を使わないのに、電子レンジで食べ物が温まるのはどうしてなんだろうなー？

「電子レンジで食べ物が温まるわけはこれだ!!」

「温まる」ことの意味

ものが温まるというのは、どういう状態をさすのだろう？　50ページで学んだように、物質は分子によってできている。この分子が激しく動いている状態が、実は「温まった」ということなんだ。例えば「水」の水分子は、氷の時は動きを止めているけれど、氷が溶けて水になると自由に動きはじめ、お湯になるとさらに激しく動くんだよ。

お湯を沸かす時は電気ポットなどを使うよね。でも、水分子を激しく動かすことができれば、外から熱を加えなくても水自体を発熱させることができるんだ。実は電子レンジも、この仕組みを使って食べ物を温めているんだよ。

電子レンジを作動させると、マイクロ波という電磁波が放出されるよ。マイクロ波が当たると、水分子は1秒間に10億〜1兆回も振動して発熱するんだ。肉や魚、野菜など、多くの食品には水分が含まれている。つまり**電子レンジは**『食品そのもの』ではなく、**マイクロ波によって『食品内の水分』を発熱させて温めている**んだよ。

[固体・液体・気体での水分子の様子]

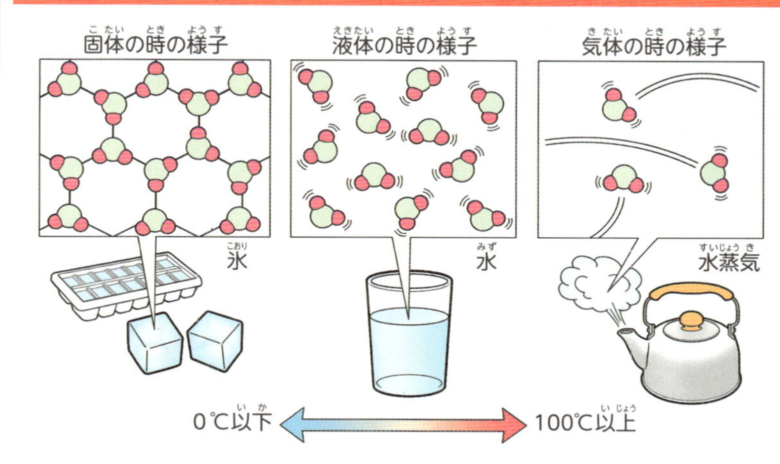

水分子は、水素原子２つと酸素原子１つが結びついたもので、この水分子がたくさん集まったものを「水」と呼ぶよ。水を100℃以上に熱すると、水分子は空間に飛び出して激しく動きまわるんだ。

ほう、マイクロ波は水分しか温めないのか。食べ物をのせた皿などが熱くなるのは、温まった食べ物の熱が伝わるせいなんだな。

電磁波を浴びると人間はヤケドしてしまうよ。だから電子レンジは、扉を閉めないと動かないようになっているんだ。調子の悪い電子レンジを動かすのは危険だから、すぐ修理に出してね。

電子レンジの不思議②

「なぜ卵を電子レンジにかけてはダメなの？」

24-1

生意気な口きいてると、ゆで卵を分けてやんねーぞ。
え？

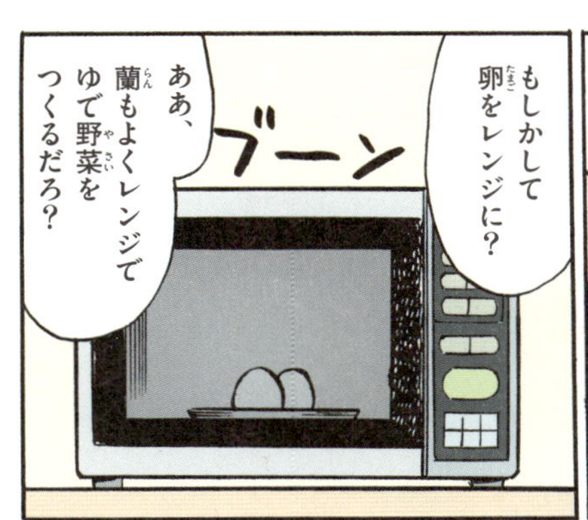
もしかして卵をレンジに？
ブーン
ああ、蘭もよくレンジでゆで野菜をつくるだろ？

ま、まずい。
すぐに止めなきゃ。
ブーン
ダッ
え!? どういうことだ？

ボムッ

24-2

あーあ、やっちまった。

た、卵を電子レンジで温めるとどうして爆発するんだ？

電子レンジの不思議②

「卵を電子レンジにかけられないわけはこれだ!!」

沸騰に関する2つの現象

ここではまず、水分の「沸騰」に関する2つの現象について学ぼう。

まず1つは、沸騰と気圧の関係について。すでに学んだように、大気には「気圧」という重さがある。水は1気圧の環境だと約100℃で沸騰するけれど、気圧が小さいと沸騰する温度が下がるんだ。例えば富士山の山頂（約0・65気圧）だと、約90℃で沸騰するよ。逆に気圧が大きいと、水は100℃を超えても沸騰しないんだ。

そしてもう1つは、水の体積の変化について。水は沸騰すると、水蒸気になる。その際に、もとの体積の約1700倍にも大きくふくらむんだよ。

電子レンジで温められた卵の水分は、100℃になると黄身の部分から沸騰しはじめるよ。でも、黄身は白身と殻に閉ざされているため、沸騰しても水蒸気の逃げ道がない。このため、卵の中の圧力が次第に高まり、やがて沸騰が止まってしまうんだ。さらに圧力が高まって、黄身が白身や殻を押し破ると、今度は急に圧力が下がる。この結果、**黄身の水分が一気に沸騰して水蒸気になり、体積が増えて爆発してしまう**んだ。

[電子レンジで卵が爆発する仕組み]

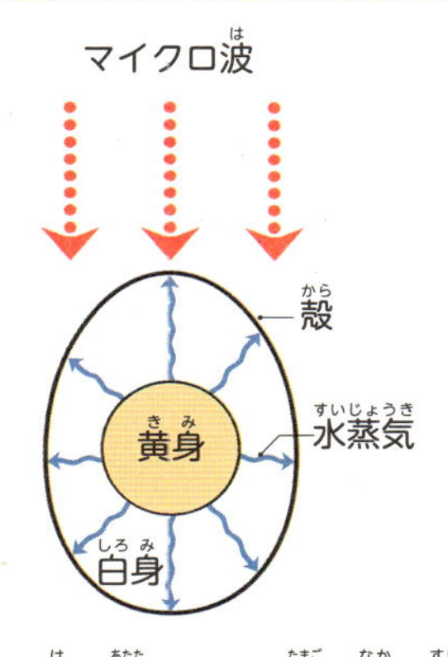

①マイクロ波に温められた卵の中の水分は沸騰して水蒸気になり、ふくらもうとする。しかし、水蒸気の逃げ道がないため卵の中の圧力が高まり、沸騰が止まってしまう。

②ところが、卵の殻にヒビが入ると、卵の中の圧力が急に下がり……。

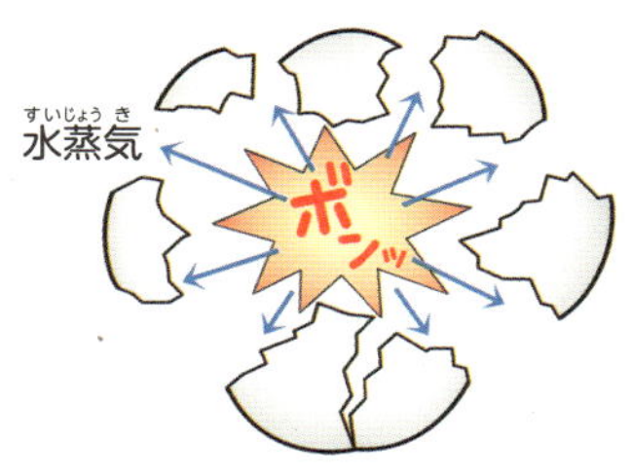

③瞬間的に沸騰した水分が水蒸気として一気にふくれあがり、卵が爆発する!!

たらこやソーセージ、イカなんかも外側が膜や皮に包まれているから、そのまま電子レンジで温めると爆発してしまうのか～。

たらこなどは水蒸気を逃がせるように爪楊枝で膜に穴を開け、温めすぎないようにするといいよ。卵も殻を割って、白身と黄身を器に入れ、黄身に穴を開けておけば、電子レンジで温めても爆発しないんだ。

「どうして子どもの歯は生え替わるの？」

そういえば……

今日は夕方に歩美くんが泊まりにくるんじゃったかの？
ええ、何か大切な相談があるそうよ。

何か事件が起こったのでなければいいんじゃが……。
ええ。

25-1

ピンポーン
来たようね。
ガチャ

カゼでもひいたの？

絶対に笑わないでね。
スッ

うわ～ん、前歯が抜けちゃったの～。
どうしよ～。

25-2

こんなんじゃ、二度とコナンくんに会えないよ～。
ぐすん
だいじょうぶよ。
おとなの歯は一度抜けたら二度と生えてこないけど……

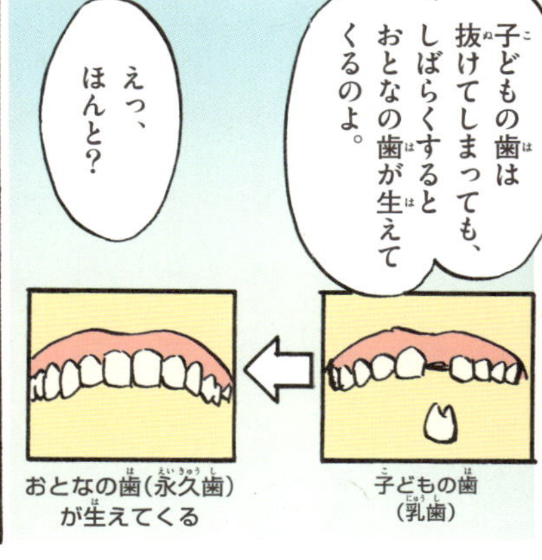
子どもの歯は抜けてしまっても、しばらくするとおとなの歯が生えてくるのよ。
えっ、ほんと？
子どもの歯（乳歯）
おとなの歯（永久歯）が生えてくる

ねえ哀ちゃん、
どうして子どもの歯は生え替わるの？

「子どもの歯が生え替わるわけはこれだ!!」

歯は何回生え替わるの?

動物の種類により、歯が生え替わる回数はちがう。例えばネズミの歯は生え替わらずに、一生伸び続けるよ。だからネズミは硬いものをかじって歯をすり減らし、長さを調節してるんだ。一方、ゾウの歯は一生のうち6回、ワニの歯は40回も生え替わるんだよ。

人間の歯は、一生に1回だけ生え替わる。子どもの歯は「乳歯」、おとなの歯は「永久歯」と呼ぶよ。乳歯の数は全部で20本。しかし、永久歯の数は28～32本もあり、しかも乳歯よりじょうぶで大きいんだ。この数とサイズのちがいこそ、実は人間の歯が生え替わる原因なんだよ。

子どものアゴは、おとなと比べて細くて狭いよね? その**小さな子どものアゴに、28～32本もある大きな永久歯は入りきらない**の。**だからまず、本数の少ない小さな乳歯が生えてくる**ようになっているのよ。からだが成長して、アゴも大きくなってくると、乳歯の下から永久歯が生えてきて、12歳ごろまでにすべての歯が生え替わるの。

[子どもの歯（乳歯）と、おとなの歯（永久歯）]

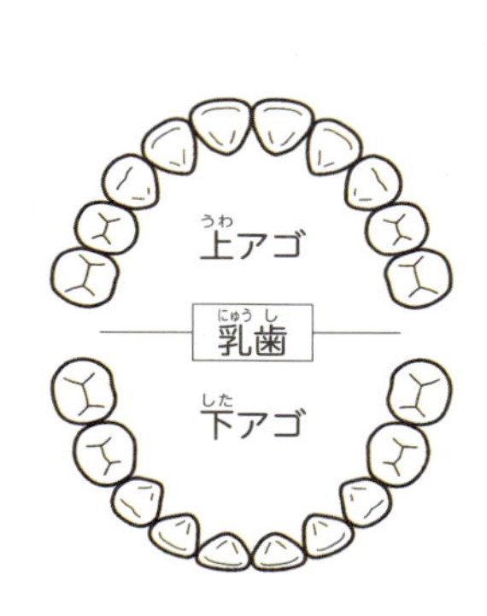

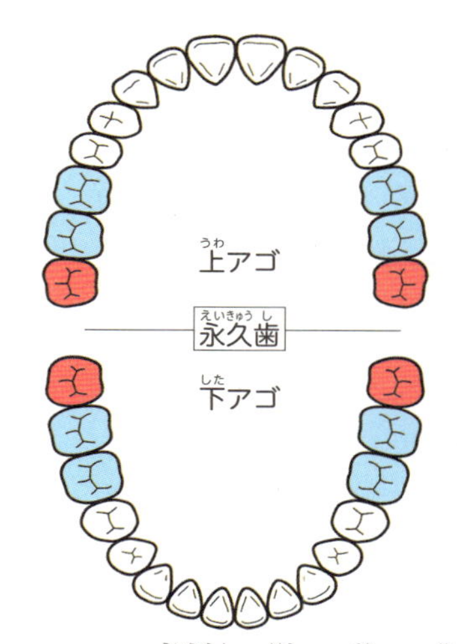

子どもとおとなでは、アゴの大きさと歯の本数がちがうよ！

……永久歯で新しく加わる歯

……親知らず

永久歯は28本の人もいれば、32本の人もいるのね！ 歯が28本以上ある人は、上下のアゴの一番奥に『親知らず』が生えた人なんですって。

『親知らず』は全部で4本じゃが、1本も生えない人もおるぞ。生える場合は、16歳をすぎてからのことが多いので、『親が生えはじめを知らない歯』、すなわち『親知らず』と呼ぶんじゃ。

汗の不思議

「どうして汗をかくの?」

26-1

え？

いないわよ、
そんな人。
サッ
サッ

哀ちゃん、すごい汗……。
カ、カレーが辛いせいよ。
そういえば人って辛いものを食べた時や暑い時、運動した時とかに汗をかくよね。

26-2

それから、緊張した時にも冷や汗をかいたりするけどね……。

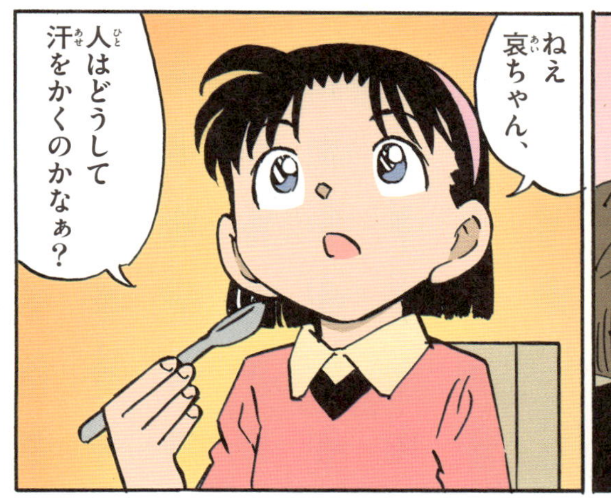
ねえ哀ちゃん、
人はどうして汗をかくのかなぁ？

「汗をかくわけはこれだ!!」

汗には3つの種類がある！

すでに学んだように、人間はホ乳類の仲間だ。そして、あらゆる動物の中で、汗をかくのはホ乳類だけなんだ。汗の成分は99％が水分で、「汗腺」という皮ふの小さな穴から出てくるよ。汗腺があるのはホ乳類だけで、中でも人間の皮ふには汗腺がまんべんなく広がっているんだ。

人間の汗には3つの種類がある。暑い時に全身に出る「温熱性発汗」、緊張した時に手足に出る「精神性発汗」、そして辛いものを食べた時に額や首に出る「味覚性発汗」だ。この中でも、人間にとって特に重要なのが「温熱性発汗」なんだよ。

人間は暑い時などに『温熱性発汗』することで、実はからだを冷やしているの。汗腺から出た汗が蒸発して気体に変化する時に、皮ふから熱をうばってくれるのよ。これを『気化熱』と呼ぶわ。人間の体温は36℃前後が正常で、少しバランスがくずれただけでも具合が悪くなるから、汗をかくのはとっても大事な仕組みなのよ。

[温熱性発汗で体温を調節する仕組み]

水などの液体は蒸発して気体となる時に、まわりから熱（気化熱）をうばう。汗も蒸発する時に皮ふから熱をうばい、からだを冷やしてくれる。このおかげで、人間の体温は36℃前後に保たれているよ。

汗の種類が3つもあるなんて、びっくり！辛いものを食べた時の『味覚性発汗』は、辛さの刺激が熱さの刺激と似ているために起こるらしいわ。

緊張した時の『精神性発汗』は、大昔の人間が敵におそわれた時に早く逃げるため、手足にすべり止めの汗をかいた名残だという説があるんじゃぞ。

お風呂の不思議

「お風呂に入ると指先にしわが寄るのはなぜ？」

カレー、おいしかったね。
うん。でも早く汗を流したいわ。

2人とも、お風呂が沸いたようじゃぞ。
ハーイ。

着替えとタオルを用意して……と。

ちょっと湯船が狭いけど……。
それなら代わり番こで洗おうよ。

27-1

ポチャ

何だか楽しそうね。
うん。

この前、哀ちゃんに石けんで洗うときれいになるわけを教えてもらってから……
ちょっと元太くん！
手は洗ったの？
うへっ。

ますますお風呂に入るのが好きになっちゃった。

でも……せっかくつるつるのすべすべになっても……
？
ほら見て！
指がしわしわになっちゃうでしょ？

27-2

これが何かいやなのよねぇ。

どうしてお風呂に入ると指がしわしわになっちゃうのかしら？

「お風呂に入ると指先にしわが寄るわけはこれだ!!」

人間のからだをおおう角質層

人間の皮ふは、いくつかの層が重なってできていて、その一番外側にある、およそ0・02㎜の薄い膜が「角質層」だ。角質層の内側では次つぎに新しい細胞が生まれ、その上の古くなった細胞を少しずつ皮ふの表面に押し出している。そして、古くなって死んでしまった細胞が、皮ふの表面をおおう角質層になるんだよ。

角質層は、外部からの細菌や湿気、あるいは乾燥から、角質層の内側にある生きた細胞を守るバリアの役目をしているよ。この角質層は、水に触れると乾燥した状態の数倍もの水分を吸収し、ふくらむ性質があるんだ。

お風呂に入ると、角質層は水を吸うけど、その内側の生きた細胞は水を吸わないの。つまり、**角質層はふやけてふくらむのに、指そのものの大きさは変わらないからしわが寄ってしまう**のよ。手足の指にしわが目立つのは、手足の角質層がほかの部分よりも厚いからなの。分厚い角質層が水分をたくさん吸って、大きくふくらんでしまうのよ。

[お風呂で指先にしわが寄る仕組み]

ふだんの皮ふの状態

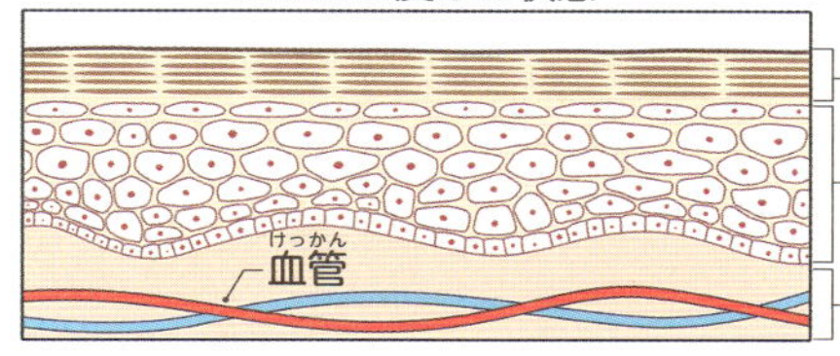

お風呂に入った時の皮ふの状態

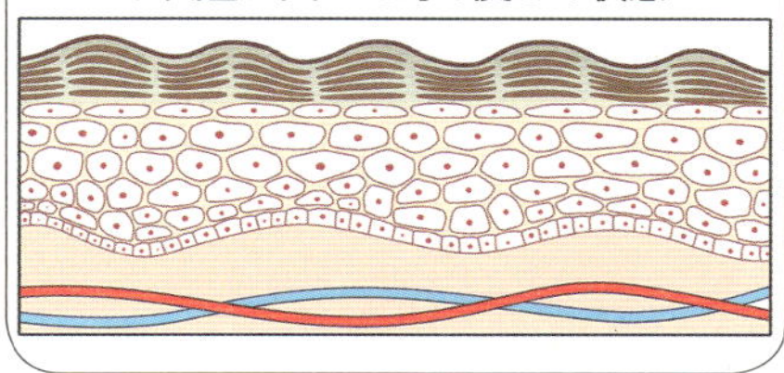

下の表皮の大きさは変わらないのに、上の角質層だけが水を吸ってふくらむため、だぶついた部分にしわが寄ってしまうよ。

へー、手足の角質層は顔の十倍の１㎜近くも厚みがあるのね！お風呂に入っても、顔がしわしわにならなくてよかった！

外国の研究グループの発表によると、水に触れた手にしわが寄るのは、濡れたものをつかみやすくするためだそうよ。しわとしわのあいだの溝が水を逃がすから、つかんだものが滑らない、という説のようね。

爪の不思議

「爪を切っても痛くないのはなぜ？」

あー、いいお湯だった。

パチン
パチン

あれ？
夜に爪を切ると縁起が悪いって、うちのお母さんが言ってたけど……。
ああ、その言い伝えね。

28-1

電気のない昔は、行灯とかの暗い照明しかなかったから……

暗い中で爪を切るとケガをするっていう、いましめの意味があったそうよ。

それよりも、お風呂上がりは爪が水分を多く含んで柔らかくなっているから、

爪を切っても、二枚爪になりにくいのよ。
そうなんだ。
【二枚爪】爪は3つの層から成り立っている。そのうち、表面の層が爪の先からはがれてしまった状態を二枚爪と呼ぶ。

そもそも、爪って何からできているのかしら？

人間の爪や馬などのひづめは、皮ふが硬く変化したものなのよ。

28-2

でも……
ケガをして皮ふがすりむけたり切れたりしたら痛いよね？
それなのに、どうして爪は切っても痛くないのかしら？

SCIENCE CONAN●解明！ 身のまわりの不思議

「爪を切っても痛くないわけはこれだ!!」

爪は何のためにある？

爪は皮ふの角質が硬く変化したものだ。鳥のくちばしやサイの角も、角質が変化したものだよ。

人間の爪はまず第一に、手足の柔らかい指先を守るためにある。そのうえ爪は、指先に加わる力を支える役目も果たしているよ。例えば、もし手の指に硬い爪がなければ、小さなものをつまみ上げようとしても、力が分散して、うまくつまむことができないんだ。

爪は毎日、少しずつ成長しているよ。健康な人の手の爪は、一日に約0・1㎜伸びている。爪を伸ばしたままにしておくと、大事な爪が割れたりするから、きちんと手入れをしようね！

爪は確かに皮ふが変化したものだけど、ほかの部分の皮ふとちがって、**爪には血管や神経が通っていないの。だから切っても血が出ないし、痛くもない**のよ。でも、爪の下の指の皮ふには血管も神経も通っているから、切りすぎには注意してね。爪の切りすぎは『深爪』といって、当然痛いし、細菌が入ると化膿してしまうこともあるのよ。

[爪の正しい切り方]

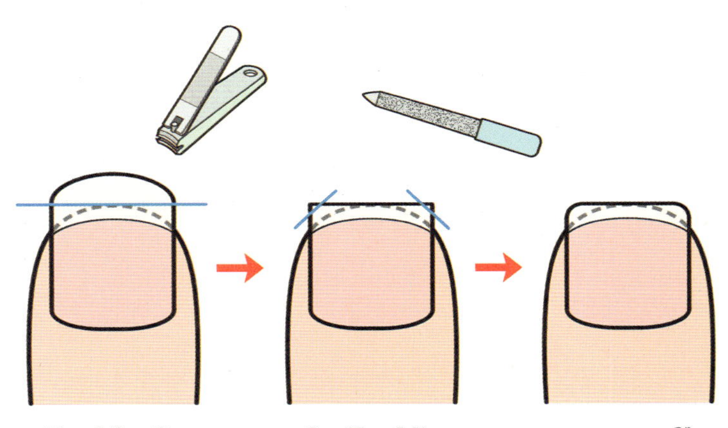

①白い部分を少し残して、横に真っ直ぐ切る。

②切り口の部分や両端の角をヤスリで滑らかに整える。

③このように爪の角を残すことで、巻き爪を防げる。

ふ〜ん、爪を切る時は白い部分を少し残して、爪の形が四角くなるよう、横に真っ直ぐ切るのね？

仕上げにヤスリで、切り口や爪の両端を滑らかにするのよ。爪の白いカーブに沿って両端まで切り落とすと、『巻き爪』という状態になりやすいの。巻き爪になると、指先に力をかけた時、爪の端が皮ふに食い込んで危険なのよ。

「どうしてガラスは透けて見えるの?」

29-1

車のガラスはコップとかよりもじょうぶな強化ガラスでできてるし、
強化ガラス
そりゃ。
ガッ
いてて。
強化ガラスは手でなぐったくらいでは割れないよ！

厚さも5㎜くらいはあるからな。
へーっ。

ちなみにデパートのショーウィンドウなどのガラスは、厚さが10～20㎜もあるそうだよ。
それにしても不思議だよな。
何が？

29-2

例えば障子は薄い紙なのに、向こう側は見えないだろ？
それなのに、どうしてガラスは厚くても向こう側が透けて見えるんだ？

「ガラスが透けて見えるわけはこれだ!!」

ものが見える仕組み

人間の目は、真っ暗な所ではものを見ることができない。ものを見るには、必ず光が必要なんだ。

太陽や電灯など、自ら発光するものを「光源」と呼ぶよ。光源は発光しているから、当然見える。一方、光源以外のものは、光源から出た光をはね返している。そのはね返された光を目が受け止めて、ものが見えているんだよ。

でも、ものに当たった光は、すべてはね返されるわけではない。光の一部はものを通り抜け、一部はものに吸い込まれるよ。そして、この光のはね返り方のちがいによって、「ものの見え方」はちがってくるんだ。

ガラスは主に、二酸化ケイ素という物質からできているよ。この物質は、あまり光をはね返さないし、吸い込まない。つまりガラスに当たった光は、ほとんどすべてが通り抜けてしまうんだ。人間の目はものにはね返された光によって『ものを見ている』から、光が通り抜けてしまう物質は、人間の目には見えない状態、つまり透明に見えてしまうんだよ。

[ガラスが透けて見える仕組み]

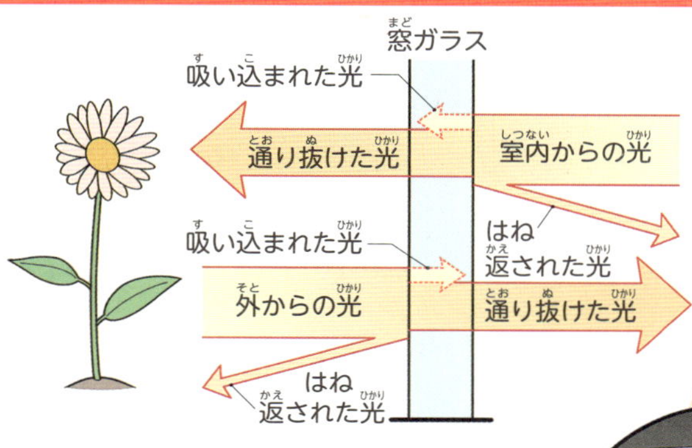

この図の場合、室内からの光はガラスをほぼ通り抜けてしまい、逆に外からの光がガラスを通り抜けて目に届くため、人間の目にはガラスを通して外の景色が見えているよ。

ガラスはあまり光を吸い込まないとはいえ、厚みを増していくとだんだん暗く、透き通らなくなってきます。これは、ガラスに吸い込まれる光の量が増えて、通り抜ける光の量が減るためなんですね。

分かったぞ！紙は光をはね返し、光を通さないから、ガラスとちがって障子は向こう側が透けて見えないんだな！

「鏡は左右が反対に見えるのはなぜ?」

む……うしろの車、ずいぶんスピードを出しておるのぉ。
ブロロッ

ブロー
脇に寄って、先に行かせることにしよう。

コナンくん……
30-1
車にはどうして鏡が3つもついているんでしょう?

それは運転席から見えない範囲、つまり『死角』を減らすためなんだ。

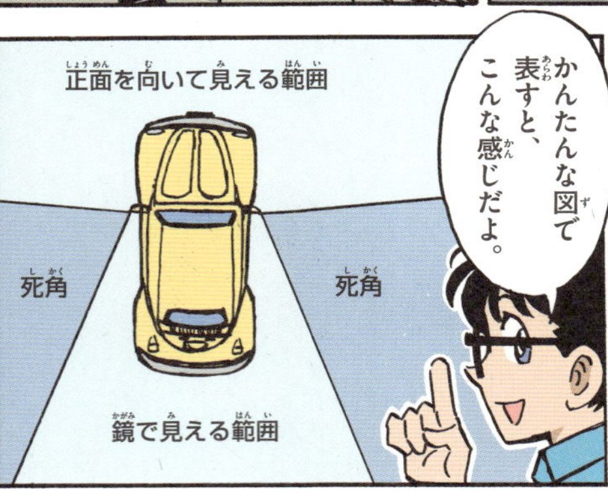

最近は、さらに死角を減らすためにモニター用のカメラをうしろに装備した車もあるね。
なるほどー。
でも、鏡って不思議だよな。
どうしてだ？

だってよー……

例えばおれとコナンが向かい合わせに立って、2人とも右手を上げたら、こんな風になるだろ？
でも、鏡に向かって右手を上げると、

30-2

鏡に映ったおれは左手を上げてるように見えるんだよなぁ。

どうして鏡は、左右が反対に見えるんだろう？

鏡の不思議

「鏡が左右反対に見えるわけはこれだ!!」

鏡にものが映る仕組み

鏡は、ガラスのうしろに銀などの金属を薄く塗ったものだ。この金属の膜は、光を通したり、吸い込んだりすることなく、ほぼ完全にはね返すよ。

ところで、もしきみが友だちの目の前に立てば、友だちの目にはきみの姿が見えている。その理由は、もう分かるよね。そう、きみが光をはね返しているからだ。同じように、きみが鏡の前に立つと、きみがはね返した光が鏡に届くよ。すると鏡は、金属の膜に届いた光をほぼ完全にはね返すから、きみの目には、鏡の向こうにきみ自身が立っているように見えるわけだ。これが、鏡にものが映る仕組みだよ。

鏡に自分の姿を映す時は、必ず鏡の正面に立たなければならないよね?

これはなぜかというと、光には真っ直ぐ進む性質があるからなんだ。鏡の正面に立つと、自分自身がはね返した光は真っ直ぐ鏡に届き、そのまま真っ直ぐはね返されてくる。だから、鏡に映った自分の姿は左右が反対に見えるんだ。

[鏡が光をはね返す様子]

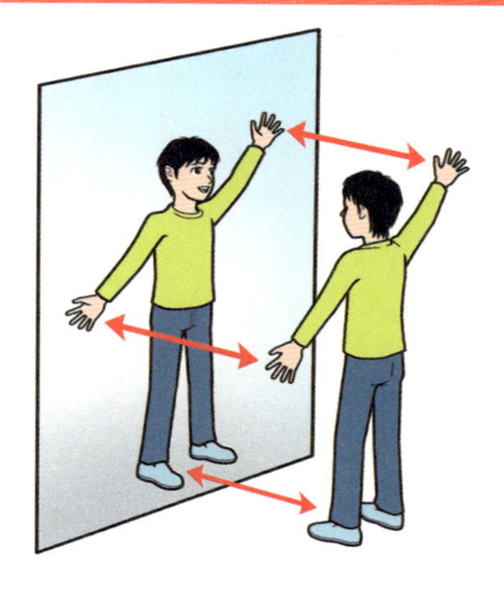

真上から見るとㄜとㄧの角度は必ず同じになる。

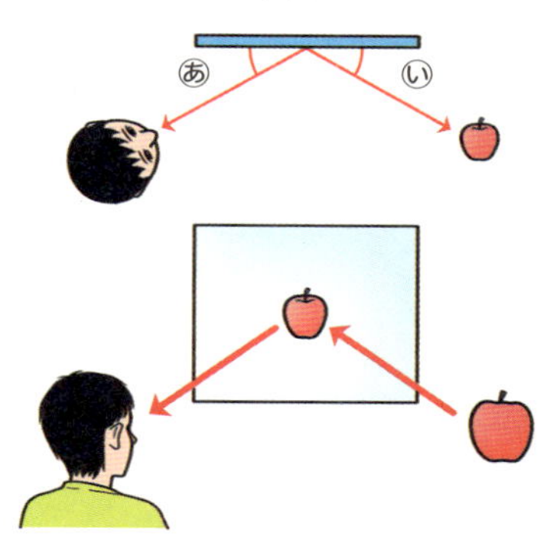

光は真っ直ぐ進む性質を持っているから、左の図のように正面から真っ直ぐ鏡に当たる光は、そのまま真っ直ぐはね返される。一方、右の図のように斜めからの光は、鏡に当たった角度と同じ角度で反対側にはね返されるよ。

光をはね返す金属の膜が傷つかないように、鏡はガラスでカバーされているのか！……なあ博士、夜になると、窓ガラスにも鏡みたいにものが映るのはどうしてなんだ？

ガラスも少しは光をはね返しておるのじゃよ。しかし昼は、窓ガラスの向こう側からくる外の光が明るすぎるため、はね返した光があまり見えないだけなんじゃ。

花の不思議①

「花はなぜ咲く季節が決まっているの?」

31-1

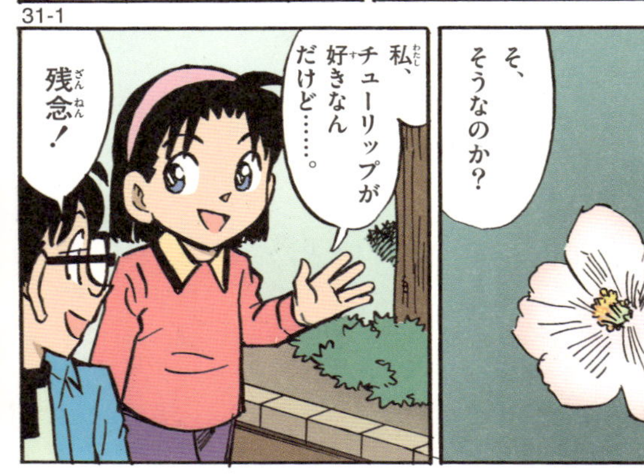

チューリップも春に咲く花の仲間だよ。

じゃあアジサイとか……。
アジサイが咲くのは初夏のころだから、もう咲き終わってるなー。

じゃあいったい、何の花が咲いてるんだよ！

今が見ごろなのはコスモスの花だよ。

31-2

これから秋が深まるにつれ、シクラメンや菊の花も見ごろになるよ。
ふーん。

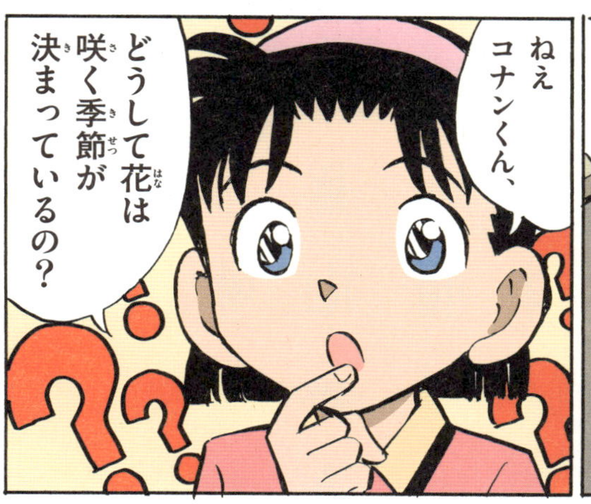
ねえコナンくん、
どうして花は咲く季節が決まっているの？

「花の咲く季節が決まっているわけはこれだ!!」

季節の変化と動植物

日本には四季があり、春・夏・秋・冬の順で巡ってくる。季節によって気温や昼と夜の長さがちがうし、雨の量や風の吹き方もちがうよね。この季節の変化を、人間と同じように、ほかの動物や植物も敏感に感じとっているよ。

例えば「渡り鳥」のツバメは、昼の長さの変化に応じて南の国から日本へ来て夏をすごし、日本が冬になると南へ渡っていく。同じように植物も、季節の変化に応じて、桜なら春、ヒマワリなら夏と、それぞれの植物が毎年同じような時期に花を咲かせているんだ。

それではなぜ植物は、種類によって花の咲く時期が決まっているのだろう？

動物が子どもや卵を産むように、植物は種をつくって子孫を増やしているよ。そして植物が種をつくるには、花を咲かせる必要があるんだけど、そのタイミングが悪いと、暑すぎたり寒すぎたりして花を咲かせることができないんだ。だから植物は季節の変化を感じとりながら、それぞれがもっとも適した時期に花を咲かせているんだよ。

[長日植物・短日植物・中日植物]

長日植物の仲間

短日植物の仲間

日本では、一年でもっとも昼が短い日を「冬至（12月22日ごろ）」、長い日を「夏至（6月21日ごろ）」と呼ぶ。長日植物は冬至から夏にかけて、短日植物は夏至から冬にかけて花を咲かせるよ。そして、昼の長さに関係なく、気温などの条件によって花を咲かせるのが中日植物だ。

中日植物の仲間

昼が長い季節、つまり太陽光が当たる時間が長い季節に花を咲かせる植物を『長日植物』といい、反対に夜が長い季節に花を咲かせる植物を『短日植物』と呼ぶんじゃ。

どの季節に花を咲かせるかは、その植物の原産地と関係があるらしいわ。例えば、日本の本州を含む温帯地域には、秋に花を咲かせる短日植物が多いんですって。

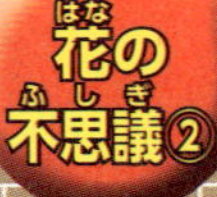

「いろいろな色の花が咲くのはなぜ？」

コスモスって色とりどりの花が咲くのね。
こっちも選りどりみどりだぞ。

売店で買ってきた焼きそば、タコ焼き、フランクフルトにかき氷！
氷
ズラーッ

うめーっ。
ガッ
ガッ

そういえば、私の好きなチューリップも赤や白、黄色とか色とりどりの花が咲くわ。

32-2

桃色やすみれ色、山吹色とか、花にちなんだ色の名前も多いですよ。
いろいろな色の花が咲くのは、どうしてなのかしら？

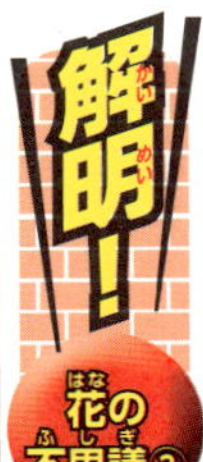

「いろいろな色の花が咲くわけはこれだ!!」

3つの色素で決まる花の色

花の色は数えきれないほどたくさんあり、同じような「赤い花」でも、それぞれ微妙に色調が異なっていたりする。けれど、その無数の色をつくっている素はたった3種類の色素なんだ。

赤や青、紫の花の素になる色素はアントシアニン。濃い黄色やオレンジ色の花の素になるのはカロテン。白や薄い黄色の花の素になるのはフラボンだよ。すべての花は、この3種類の色素を組み合わせて色をつくっているんだ。自然に咲く花は白色系が約33%でもっとも多く、黄色系が約28%、赤系が約20%、紫系と青系が約17%、そのほかが約2%といわれているよ。

植物が種をつくるには、雄しべの花粉を雌しべに受粉させる必要があるの。その作業を昆虫に頼っている種類の植物は、**昆虫を呼び寄せるために、目立つ色や形の花を咲かせている**のよ。チョウは赤い花を好み、ハチは紫の花を好むといわれているわ。白や黄色の花は、特定の昆虫との結びつきは薄く、どんな昆虫にも好まれるそうよ。

[花に含まれる3つの色素]

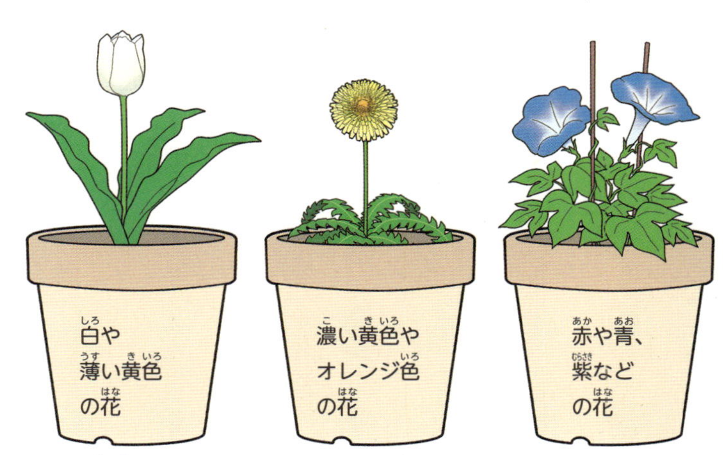

フラボンは大豆やタマネギの皮、カロテンはニンジンやトマト、アントシアニンはナスやイチジクなど、色素は野菜や果実にも含まれているよ。

春先に咲く花は、黄色い花が多いように感じるわ。きっとまだ虫が少ない時期だから、いろいろな虫に来てほしいのね！

へー、白い花には白い色素ではなく、薄い黄色の色素フラボンが含まれてるんですか！ 空気や光の加減で白く見えてるだけなんですね。確かに花の種類によっては、白い花でも、かすかに黄色く見えるような気がします。

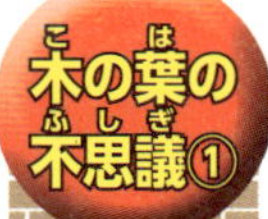

「木の葉はなぜ緑色なの？」

33-1

えいっ。
ゴロン!!
気持ちいい♪
!
ねえ哀ちゃん、この芝生は緑色だし……
さっき見たコスモスの葉や、向こうの木立の葉も緑色だよね?
いろいろな色の花があるのに……
33-2
どうして植物の葉は緑色しかないのかしら?

解明！

木の葉の不思議①

「木の葉が緑色なわけはこれだ!!」

植物の「光合成」

肉食動物は草食動物を、草食動物は植物を食べて、生きていくのに必要な栄養を得ている。では、食物を食べることができない植物は、どのようにして栄養を得ているのだろう?

植物は、生きていくために必要な栄養を自らの葉でつくり出している。水と二酸化炭素を原料に、太陽の光のエネルギーを利用して栄養をつくり、余った酸素を空気中に放出しているんだ。この仕組みを「光合成」と呼ぶよ。

生き物の中で、自ら栄養や酸素をつくり出せるのは植物だけだ。そして、植物の葉が緑色なのは、この光合成と密接な関係があるんだよ。

植物は、葉の中に『葉緑体』という器官を持っているの。葉の全面に広がる葉緑体の中には『葉緑素』という物質が含まれていて、その呼び名の通り緑色をしているわ。だから、木の葉は緑色なのよ。

光合成を行うために、この葉緑素が光のエネルギーを吸収しているの。

[植物の葉のつくり]

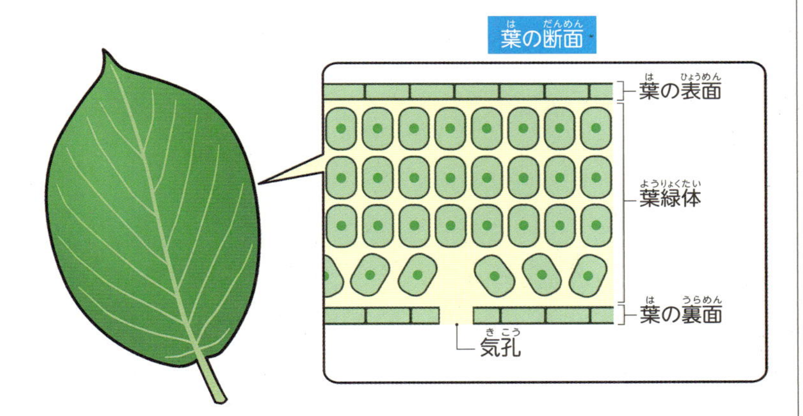

植物は、葉の葉緑体で光合成を行っている。葉緑素が光のエネルギーを吸収し、水と二酸化炭素から栄養をつくり、余った酸素を空気中に放出しているよ。葉の表面にある気孔という穴が、二酸化炭素や酸素の出入り口なんだ。

木の葉には、そんな大切な役割があったのね！　木の葉が互いちがいに、広がるようについているのも、たくさん光を浴びて光合成を行うためなんですって!!

動物の呼吸に必要な酸素も、植物が光合成によってつくり出したものじゃ。つまり、われわれ人間を含む動物は、植物がなければ生きていけないんじゃよ。

木の葉の不思議②

「秋に木の葉の色が変わるのはなぜ?」

よし!次はこの木立を越えて、見晴らし台に行こう。
オッケー。

登山の時みたいに、1人で先に行っちゃダメよ。
わ、分かってるよ!

スーハー
空気がおいしー。

34-1

これは、木の葉の光合成のおかげなんでしょ?
うむ。

おっ。
ハラリッ

歩美ちゃん、いいものを見せてあげるよ。
何なに？
ほら、イチョウの黄色い葉っぱだよ。
え？何で緑色じゃないの？

スギやカシの木は常緑樹といって一年中、葉が緑色なんだけど……
植物の種類によっては、秋が深まると葉の色が赤や黄色に変わるんだ。
【イチョウなど】緑色から黄色に。
【イロハモミジなど】緑色から赤に。

34-2

秋になって、山の樹木や街路樹が色づくことを紅葉とか黄葉と呼ぶよ。

ねえコナンくん、
どうして秋になると木の葉の色が変わるの？

「秋に木の葉の色が変わるわけはこれだ!!」

常緑樹と落葉樹

木の葉は光合成を行うためにある。そのためには、大きくて薄い方が効率がいい。でも同時に、木の葉は寒さや乾燥に弱く、大きく薄い木の葉ほど大きなダメージを受けてしまうんだ。

この寒さや乾燥に耐えるため、小さく厚い葉をつける植物は、一年中緑色の葉をつけているため「常緑樹」と呼ばれるよ。スギやカシは、この仲間だ。

一方、大きく薄い葉をつける代わりに、寒い冬になると大切な葉を落として光合成を休み、体力を保つ植物もいる。このような植物を「落葉樹」と呼び、秋になると木の葉が色づくイチョウやイロハモミジは、この仲間なんだ。

木の葉が緑色なのは、葉緑素によるものだったよね。ところが落葉樹の仲間は、秋になって気温が下がると葉を落とす支度をはじめるため、葉緑素がこわれて減ってしまうんだ。一方、イチョウの葉には、葉緑素のほかに『カロテノイド』という黄色い色素がもともと含まれているよ。つまり、**秋に葉緑素が減ると、それまで目立たなかったカロテノイドの色が表に現れて、黄色く色づいたように見える**んだ。

[イロハモミジの葉が秋に色づく様子]

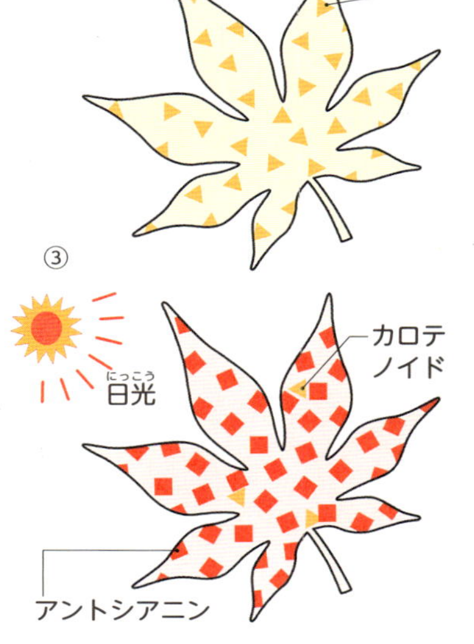

春から夏にかけて緑色だったイロハモミジの葉（①）は、秋になって気温が下がると葉緑素がこわれて黄色い色素が目立つようになる（②）。さらに、その葉が日光を浴びると、赤い色素がつくられて紅葉する。

イロハモミジの場合は、葉緑素がこわれるとともに葉の糖分が変化して、赤い色素の『アントシアニン』がつくられはじめる。だから、木の葉が赤く色づくんじゃ。
東南アジアなどの熱帯には雨期と乾期があって、雨が少ない乾期になると落葉樹は葉を落とすらしいの。その時はやっぱり、木の葉が赤や黄色に色づくんですって。

消しゴムの不思議

「なぜ消しゴムは字や絵を消せるの？」

35-1

スケッチ終了!!
あとは家で色を塗れば完成です！
Sketch Book

なあ光彦、おれにも何か描かせてくれよ。
いいですよ。はい、スケッチブックとえんぴつです。
Sketch Book

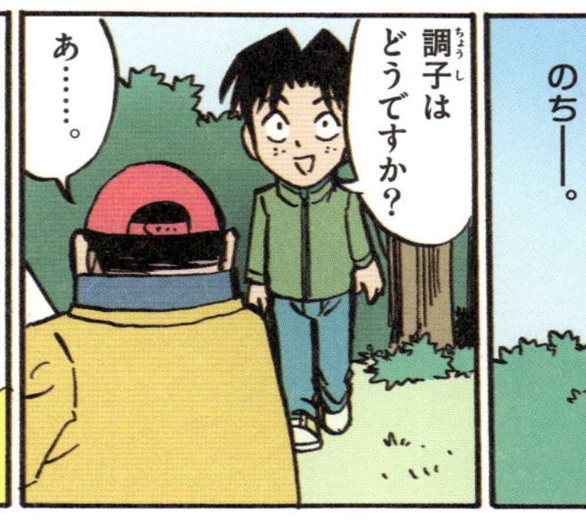
しばらくのち—。
調子はどうですか？
あ……。

バーン
ぼ、ぼくのスケッチブックに何を描いてるんですか!!
いや、つい……。
へのへのもへ

35-2

ガミガミガミ
ちゃんと消すから、怒るなよ。
ところで光彦、
ゴシゴシ
どうして消しゴムはえんぴつで書いた字や絵を消せるんだろう？
へのへのもへ

「消しゴムが字や絵を消せるわけはこれだ!!」

えんぴつで筆記できるわけ

えんぴつ書きの字や絵を消しゴムで消せる理由を考える前に、まず、えんぴつで紙に字や絵が書ける理由を考えてみよう。えんぴつは、木の軸の中に黒い芯を入れた筆記具だ。芯の中には「炭素」という黒い粉が入っているよ。この芯の部分を紙に滑らせると、紙の表面の細かい凹凸で芯が細かい粉になり、炭素の跡が残る。これが、えんぴつで文字や絵が書ける仕組みなんだ。

えんぴつは、芯の硬さによって「H」や「B」などと軸に表記されている。「B」などの軟らかい芯には炭素が多く含まれているため、硬い芯よりも文字や絵を濃く書くことができるんだよ。

えんぴつ書きを消しゴムで消せる理由は、とっても単純です。えんぴつ書きを消しゴムでこすると、**紙についた炭素の黒い粉をゴムがはがしとってくれる**んですよ。はがしとられた黒い粉は、消しカスに包み込まれるので、再び紙につくことはないんです。消しゴムがなかった昔は、えんぴつ書きを消す道具としてパンが使われていたそうですよ。

[消しゴムで字や絵が消える仕組み]

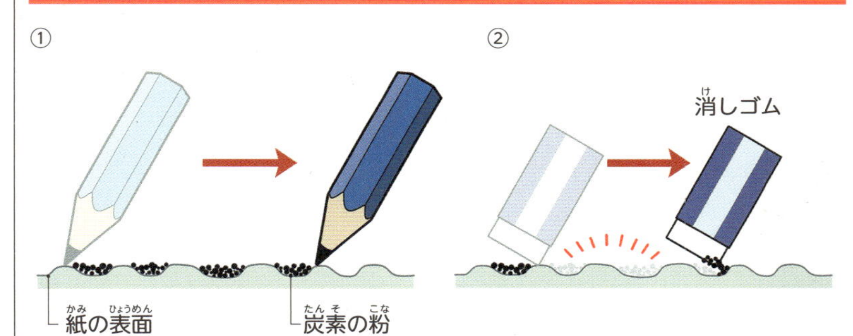

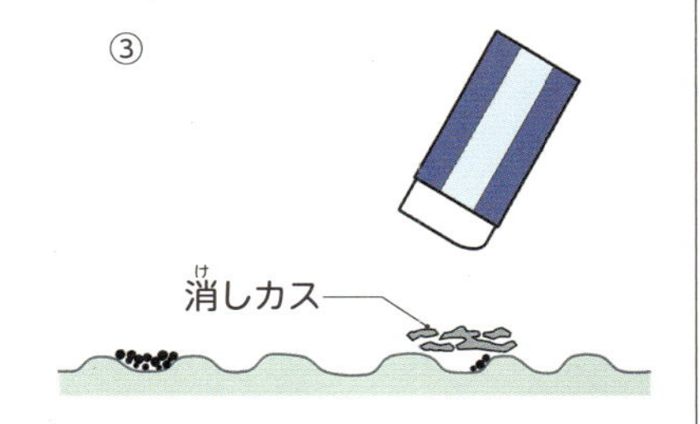

えんぴつで字や絵を書くと、紙の凹凸に炭素の粉が残る（①）。消しゴムでこすると、炭素の粉が消しゴムにつく（②）。そして、はがしとられた炭素の粉は、消しカスに包まれるよ（③）。

じゃあ何でボールペンとかで書いた線は、消しゴムで消すことができないんだ？

インクで書かれた線はインクが紙に染み込んでしまうため、消しゴムで消すことはできないんです。でも最近は、専用のゴムでこするだけで消せるボールペンもありますね。紙とゴムの摩さつで生まれる熱によって、インクを透明にする仕組みだそうですよ。

「蚊に刺されると、かゆくなるのはなぜ？」

キュー

36-1

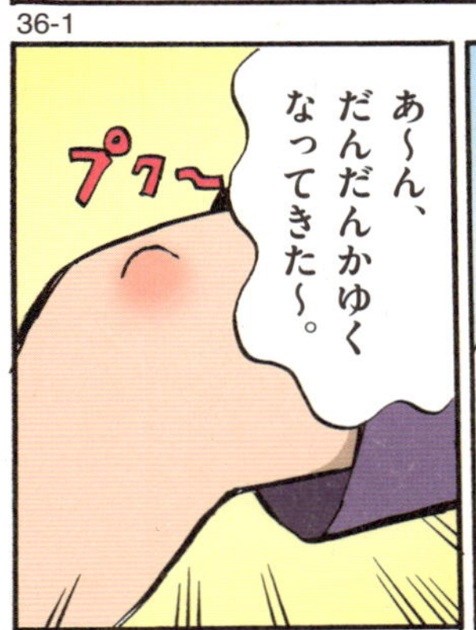

ぽりぽり
これこれ、そんなにかいてはいかん。

ほれ、かゆみ止めと、
虫よけスプレーじゃ。

36-2

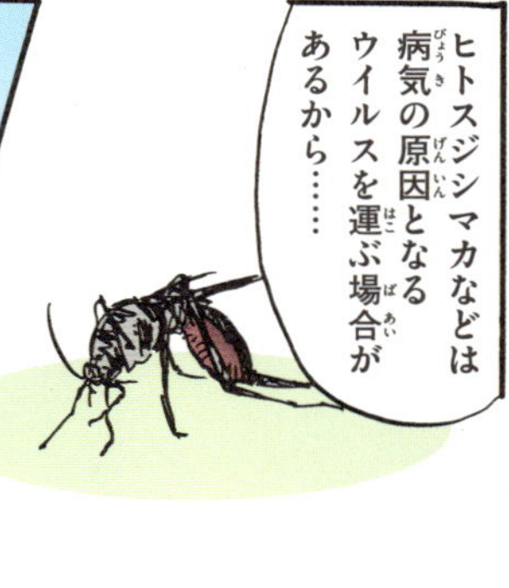

ヒトスジシマカなどは病気の原因となるウイルスを運ぶ場合があるから……

そもそも虫よけスプレーなどで刺されないようにしておかないといかん。
シュー

また、刺された所をかきすぎると、傷口からばい菌が入ってしまうことがあるから、素早くかゆみ止めを塗るんじゃ。

ねえ博士、
蚊に刺されるとどうしてかゆくなるの？

「蚊に刺されると、かゆくなるわけはこれだ!!」

蚊はなぜ血を吸うの？

蚊はふだん、チョウと同じように花の蜜や樹液を吸って栄養をとっている。でも、メスの蚊が卵を産む時は、蜜などだけでは栄養が足りなくなってしまうから、人間や動物の血を吸って栄養分を補給しているよ。つまり、動物の血を吸うのはメスの蚊だけなんだ。

蚊の口は、針状に細長くとがっている。メスの蚊は、この口を動物の皮ふに刺して血を吸うんだ。実はこの時、蚊は針の先からだ液を出し、相手の体内に注ぎ入れている。このだ液には、針が刺さったことを気づかれないようにする麻酔の成分と、血が固まらないようにする成分が含まれているんだよ。

人間のからだには、ウイルスなど外からの異物や、体内のがん細胞をやっつける仕組みが備わっておる。これを『免疫反応』と呼ぶのじゃが、ある特定の異物に対して免疫が過剰に反応し、『アレルギー』を引き起こすことがあるんじゃ。すると、くしゃみが止まらなくなったり、皮ふがかゆくなったりするぞ。蚊に刺されるとかゆくなるのは、蚊のだ液に対して、人間のからだがアレルギーを起こしているためなんじゃよ。

[蚊に刺されるとかゆくなる仕組み]

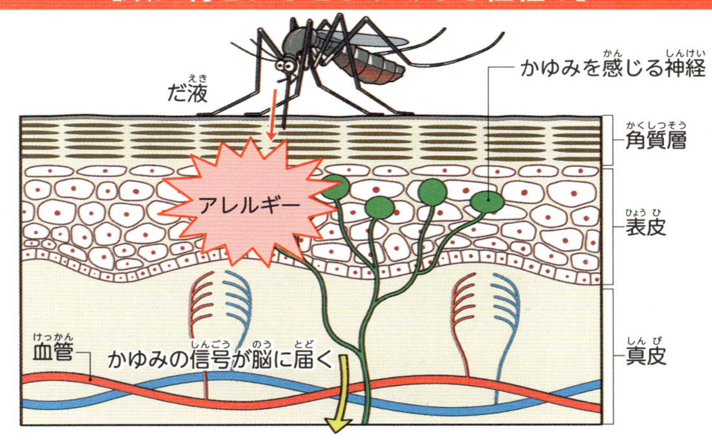

蚊のだ液が体内に入ると、人間は免疫反応によってアレルギーを起こす。アレルギーの作用によって皮ふに炎症（はれ）が生じるほか、神経が刺激されると脳に「かゆい」という信号が届き、かゆみを感じるようになるんだ。

蚊に血を吸われるとかゆくなるのは、花粉が飛ぶ時期に、花粉症の人のセキやくしゃみが止まらなくなるのと同じことだったのね！

蚊は、人がはく息に含まれる二酸化炭素や汗のにおい、人の体温を感じて寄ってくるの。蚊を防ぐには、虫よけスプレーや長袖・長ズボンが効果的よ。あと、明るい色の服を着た方が、蚊は寄ってこないそうよ。

電線の
不思議

「鳥が電線にとまっても感電しないのはなぜ?」

最後はお待ちかねの観覧車じゃぞ。
やった!

けっこう長い階段じゃのぉ……。
あれ?こんな山の中に電線がありますよ。

それはきっと、観覧車を動かすための電気を送る電線じゃろう。

ビュウゥ

ヒュルル
あっ。

あんな所に引っかかっちまった。

おっ、長い棒が落ちてたぞ。

これで帽子を……。
これ、いかん!!

棒や手で電線に触れたら、感電してしまうぞ!
ちゃんと電力会社に連絡して、あとで作業員の人にとってもらうんじゃ。
ビビビビビッ

37-2

でも博士、
あそこに鳥がとまってるぞ。

人が触れたら感電するのに、どうして鳥は電線にとまっても感電しないんだ?

「鳥が電線にとまっても感電しないわけはこれだ!!」

電線に触れてはいけない！

「電気を流そうとする力」を「電圧」と呼び、その大きさは「V（ボルト）」という単位で表されるよ。発電所でつくった電気を「変電所」という施設に送る「送電線」には、数十万Vという非常に高い電圧の電気が流れている。住宅地などに見られる電信柱の「配電線」にも、数千Vの電気が流れているんだ。

水が高い所から低い所へ流れるのと同じように、電気は電圧の高い方から低い方へと流れる性質を持っている。このため、棒や手で電線に触れると、電圧の高い送電線や配電線から、電圧がほぼ0Vの地面へ、からだを通って電気が流れ、感電してしまうんだよ。

電線にとまっている鳥はふつう、1本の電線の上に両足でのっておるじゃろう？　この状態じゃと、右足が触れておる場所と左足が触れておる場所には、電圧の高低差が生じないのじゃ。しかも鳥のからだは電線よりも電気が流れにくい。このおかげで、**電気は鳥のからだを流れることなく、そのまま電線を流れていくから**、鳥は感電しないんじゃよ。

[鳥が感電しない場合と感電する場合]

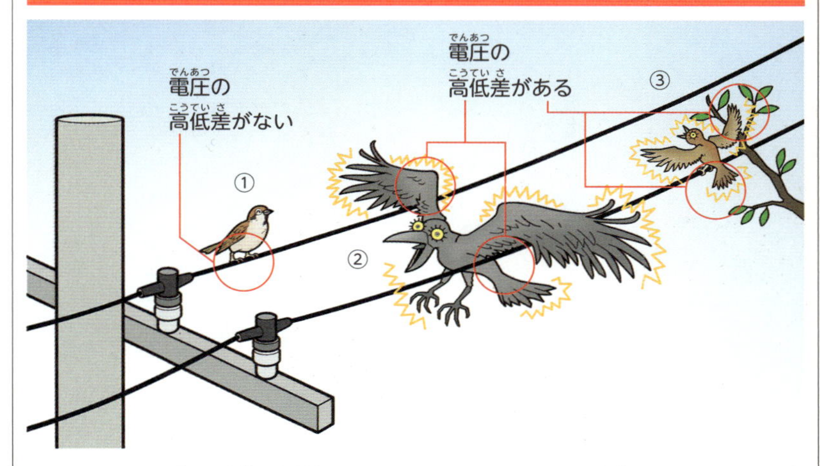

①のように、1本の電線に両足をのせてとまっている鳥は感電しない。でも②のように2本の電線に同時に触れたり、③のように電線とほかのものに触れたりすると電圧の高低差が生じて電気が流れ、鳥でも感電してしまうよ。

するると、鳥でも2本の電線に同時に触れたり、電線と電信柱の金具などに同時に触れたりすると、感電してしまうんですね？

その通り！光彦と元太も凧揚げをしたりする時は、近くに電線がない広い公園などの場所で遊び、もしも凧が電線に引っかかったら、絶対に自分でとろうとしてはダメだぞ。

「電気ウナギはどうやって発電するの？」

あーあ、楽しかった日曜日もおしまいかー。
そうぼやいておらんで、外の景色を楽しんだらどうじゃ。

あっ、さっきの電線が見えますよ。

38-1

あっちの山にはダムがあるみたいじゃな。

どうやらこの観覧車は水力発電所からの電力で動いておるようじゃ。
へー。

そういえばこの前、水族館に行った時、電気ウナギという魚がいたんですが、
生き物なのに発電できるそうですね？
うむ。電気ウナギが発する電気に感電すると、馬でも気絶するそうじゃぞ。

38-2

じゃあ、もしも電気ウナギをたくさん集めたら、この観覧車を動かすこともできるんでしょうか？
それは無理じゃな。何しろ電気ウナギが強い電気を発生させられるのは、わずか千分の一秒のあいだなんじゃ。

それに、発電所と電気ウナギとでは、発電の仕組みがまったくちがうからのぉ。
それなら博士……

電気ウナギはどうやって発電しているのでしょう？

「電気ウナギはこうやって発電している!!」

発電機と電気ウナギ

1831年、イギリスのファラデーという人が、銅線の輪（コイル）の中に磁石を出し入れすると、銅線に電気が流れることを発見したよ。実は現在の発電所でも、この仕組みを利用している。大きなコイルの中心で、大きな磁石を回転させて発電しているんだ。発電所では水力や火力を利用して磁石を高速で回転させるために、発電所では水力や火力を利用しているよ。

一方、機械を使わず、自分の体内で発電できる生き物が電気ウナギだ。つくった電気は、にごった水の中で障害物を探るレーダーとして使ったり、電気ショックで敵やえさを気絶させたりするために使っているんだよ。

電気ウナギに限らず、実はすべての動物が体内で発電しておるぞ。例えば、人間がひじを曲げる時には『活動電位』という電気を発生させて、脳から腕の筋肉に『縮め』という命令を発しておるんじゃ。一方、電気ウナギの場合は、筋肉の細胞が変化した『発電板』という細胞を持っておる。**電気ウナギの体内では数千個の発電板がつながっていて、それが一斉に発電するから、**とても強い電気をつくり出すことができるんじゃ。

[心臓を動かしている活動電位]

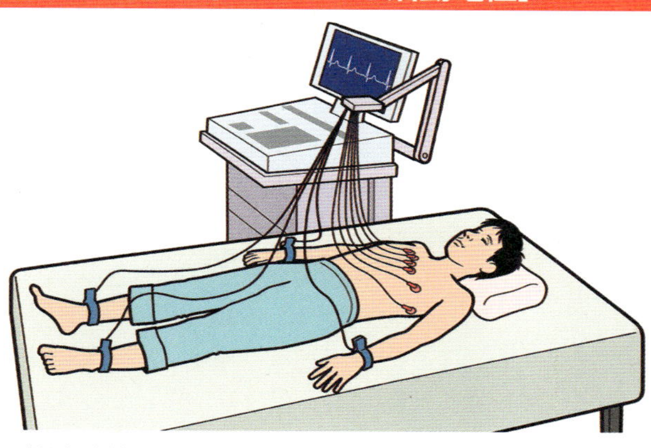

心臓を動かす筋肉（心筋）では、常に活動電位が発生している。このおかげで、たとえ眠っているあいだでも心臓は規則正しく動き続けているんだよ。病院では、上の図のような装置で心臓の活動電位の様子を計測することができる。「心電図」というグラフの形にすることで、心臓の健康状態を調べたり、心臓の病気を治療するために役立てたりしているんだ。

電気ウナギは体長の90％がしっぽで、そこに発電板が収められているんですね。

イメージとしては、小さな乾電池をタテに何千個も並べた感じかな。発電板の一つ一つはとても弱い電気しかつくれないけど、それが一斉に発電した時の電圧は、最高で800Vにもなるよ。家庭で使う電気の電圧は100Vだから、その8倍もあるんだ。

staff

■原作／青山剛昌
■監修／川村康文（東京理科大学教授）
■まんが／金井正幸
■イラスト／加藤貴夫
■ＤＴＰ／株式会社昭和ブライト
■デザイン／竹歳明弘（STUDIO BEAT）、山岡文絵
■校閲／目原小百合
■編集協力／新村徳之（DAN）、田端広英

■編集／藤田健彦

小学館学習まんがシリーズ

名探偵コナン実験・観察ファイル

サイエンスコナン
解明！　身のまわりの不思議

2015年4月15日　初版第1刷発行
2019年7月　6日　　　第2刷発行

発行人　野村敦司
発行所　株式会社　小学館
〒101-8001
東京都千代田区一ツ橋2-3-1
電話　編集／03(3230)5632
販売／03(5281)3555

印刷所　図書印刷株式会社
製本所　共同製本株式会社

ISBN 978-4-09-296166-1　Shogakukan,Inc.